◉ Collection culture chinoise

LES NOUR
CHINOISES

Traduit par Gao Ruifeng

CHINA
INTERCONTINENTAL
PRESS

图书在版编目（CIP）数据

中国饮食：法文/ 刘军茹编著；高瑞凤译 . —北京：五洲传播出版社，
2011.4

ISBN 978-7-5085-2095-7

Ⅰ.①中… Ⅱ.①刘… ②高... Ⅲ.①饮食-文化-法文 Ⅳ.①TS971

中国版本图书馆CIP数据核字（2011）第052559号

中国饮食

编 著 者	刘军茹
译 者	高瑞凤
责任编辑	覃田甜
设计制作	张 红
出版发行	五洲传播出版社

（北京海淀区北三环中路31号生产力大楼B座7层 邮编：100088）

电 话	8610-82005927 82007837（发行部）
网 址	www.cicc.org.cn
承 印 者	北京画中画印刷有限公司
版 次	2010年4月第1版第1次印刷
开 本	720×965 毫米 1/16
印 张	10.5
字 数	100千字
定 价	99.00元

Table des matières

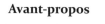

Avant-propos

A propos de la nourriture, en Chine il y a un adage très populaire : « Les masses érigent la nourriture en leur ciel », ce qui signifie que la nourriture est le besoin primordial pour l'homme. Il devrait démontrer clairement la place importante que « manger » occupe dans la vie des Chinois. Manger n'est pas simplement destiné à remplir l'estomac; posséder la nourriture, avoir bon appétit, et savoir quoi manger et comment manger sont tous considérés comme les bonnes « fortunes ». Ceux qui tiennent la culture alimentaire en haute estime, en citant souvent la parole du philosophe chinois Confucius : « la nourriture et les relations sexuelles, sont les besoins primordiaux de chaque être humain », trouvent les fondements de la pensée positive pour une telle mode de vie épicurienne. Probablement, il n'y a plus aucun pays qui a autant de plats délicieux que la Chine. Au point de vue de l'art et des techniques de cuisine, sauf la France et l'Italie, peut-être, les compétences des chefs d'aucun autre pays ne peuvent obtenir la

Les champs de riz au bord de la rivière Fuchun (Photo prise par Wang Miao, fournie par la bibliothèque d'images de *Tourisme en Chine* de Hong Kong)

reconnaissance des Chinois.

Les techniques culinaires extrêmement développées peuvent faire les ingrédients, apparemment immangeables aux yeux des étrangers, des plats délicieux par les mains des chefs chinois. Le livre de recettes des Chinois contient une liste assez exhaustive des aliments, y compris presque tous les comestibles avec très peu de tabous. Les Chinois, qui considèrent manger comme une fortune et la vie comme un art, ont non seulement créé les types différents de cuisine régionale sur leur propre territoire vaste, mais également propagé la culture alimentaire chinoise jusqu'à l'outre-mer. Aujourd'hui, dans ce monde où même les coins les plus reculés peuvent sembler aussi proches que l'arrière-cour, la cuisine chinoise peut être dégustée dans chaque métropole du monde.

Comme beaucoup d'autres pays avec un vaste territoire, les cuisines chinoises se différencient essentiellement par les goûts de la région du Nord et ceux du Sud. Bien que le riz de la meilleure qualité en Chine soit cultivé dans la région du Nord-Est, les habitants de cette région, tout comme les habitants des autres provinces du Nord, préfèrent manger les pâtes ou les nouilles.

Sections des légumes dans les supermarchés qui fournissent toutes sortes de légumes frais de la saison (Photo prise par Wang Miao, fournie par *Imagine china*)

Dans le nord, les plats les plus classiques comprennent l'agneau (fondue), le canard laqué de Pékin et la cuisine du Shandong. Dans le sud, les principaux produits alimentaires (aliments qui sont les principales sources de glucides et de fibres alimentaires, par exemple, du pain et des céréales en Occident) sont à base de riz. Quant aux plats, il y a une plus grande variété qui se trouve dans le sud. Vous pouvez y trouver la cuisine du Sichuan et la cuisine Xiang (Hunan) qui sont bien épicées et piquantes, la cuisine douce et délicate de Huaiyang, et la cuisine Yue (cantonaise) qui s'attache aux soupes des fruits de mer. Par conséquent, les étrangers qui ont été en Chine sont souvent surpris des grandes différences dans les types de goûts et de nourriture variés selon les régions.

La cuisine chinoise ne satisfait pas seulement le sens du goût des gens, mais offre aussi une jouissance du sens visuel. Les arts culinaires chinois s'appuient sur le principe de « la couleur (Esthétique), l'arôme et le goût », le manque d'aucun élément ne ferait un bon plat. Pour faire un plat agréable qui plaît au sens visuel, habituellement, la viande et les ingrédients végétariens sont sélectionnés, y compris un seul ingrédient principal et deux ou trois ingrédients secondaires de couleurs différentes. Bleu, vert, rouge, jaune, blanc, noir et marron doivent être mélangés dans la bonne combinaison, ensuite les techniques de cuisine convenables permettent de réaliser l'esthétisme des aliments. L'« arôme » est obtenu en utilisant les épices, comme le poireau, le gingembre, l'ail,

Les idées des savants sur la nourriture avant la dynastie des Qin

La période avant la dynastie des Qin était une époque de grands bouleversements et de changements dans l'histoire chinoise, mais sont apparus un certain nombre de grands penseurs et les idées qui ont eu une profonde influence pendant une longue durée. En ce qui concerne la réflexion systématique sur le boire et le manger, Mozi, Lao-Tseu et Confucius sont représentatifs avec leurs manières différentes. Mozi menait une vie bien modeste et simple. Il préconisait l'assistance mutuelle de la société et l'engagement actif dans la production, et la pensée que les gens ne devraient pas manger sauf qu'ils ont également travaillé. Il suggérait que les gens doivent prendre la nourriture que leurs estomacs pouvaient contenir et porter les vêtements qui ne couvrent que leurs corps. « Quant à la nourriture, il suffit d'en prendre une quantité nécessaire pour obtenir son énergie, remplir les espaces vides, renforcer le corps et satisfaire l'estomac ». Il pensait que les gens devraient vivre frugalement et modérément et servir la société. Lao-Tseu a indiqué clairement l'importance des aliments pour la civilisation et les comportements individuels. « Ceux qui régulent le corps et nourrissent l'esprit doivent modérer leur sommeil et leur alimentation ». Il a préconisé la purification spirituelle, la réduction des désirs, et la pensée de savoir se contenter. Sa philosophie de la vie a souligné la culture intellectuelle et l'indifférence aux choses matérielles. Confucius a combiné le manger et le boire avec le système rituel. Son dicton largement répandu se dit : « Il n'y a pas de raison de rejeter le riz sélectionné le plus soigneusement et la viande hachée le plus finement », c'est un appel à la rigueur rituelle mais pas un luxe. Sa philosophie de la vie ; « manger des repas simples, boire de l'eau, prendre le bras courbé comme oreiller en dormant, une vie tellement simple comprend aussi les plaisirs et la joie, mais la richesse et la noblesse mal acquises auxquelles je suis indifférent sont comme les nuages flottants ». Ces mots ont eu une grande influence sur les intellectuels traditionnels chinois.

le vin de cuisine, la graine de badiane, la cannelle, le poivre, l'huile de sésame et le shiitake, dans la nourriture cuite pour stimuler l'appétit. Lors de la préparation des repas, les techniques telles que frire, sauter, griller, cuire à la vapeur, frire rapidement, mijoter sont utilisées dans le but de préserver le goût naturel de la nourriture, en ajoutant une quantité appropriée de la sauce soja, du sucre, du vinaigre, du piment pour rendre le goût des plats salé, sucré, aigre, piquant etc. Avec les décorations élégantes et complexes faites par les tomates, les navets, les concombres et d'autres sculptures des légumes dans les assiettes et les vaisselles en porcelaine fine et exquise, la cuisine chinoise est devenue une véritable forme d'art avec la couleur esthétique, l'arôme merveilleux, et le goût exquis.

Les Américains calculent les calories et la teneur en cholestérol de la nourriture pour maintenir une bonne santé et garder la ligne

Les environnements élégants de style antique pour dîner et les plats de l'imitation impériale du patrimoine royal unissent la cuisine et la culture. (Photo prise par Yu Shen, fournie par Imagine china)

Il s'agit d'un morceau de peinture du Nouvel An nommée l'*Abondance et les bonnes récoltes consécutives* montrant les meilleurs vœux des gens au début de la nouvelle année. (Collectionnée par Wang Shucun)

charmante. Les Japonais se passionnent à essayer des aliments toniques différents pour préserver une jeunesse éternelle. Différent de tous les deux, le sens de la santé des Chinois réside dans la philosophie : « la nourriture et la médecine partagent la même source ». Convaincus profondément que la nourriture a des effets thérapeutiques et qu'elle est en faveur de la guérison, les Chinois considèrent un grand nombre de plantes comestibles avec les avantages de la prévention des maladies et de la conservation de la santé comme des plats quotidiens dans les foyers. En même temps, les Chinois recherchent le raffinement dans la cuisine : « Il n'y a pas de raison de rejeter le riz sélectionné le plus soigneusement et la viande hachée le plus finement ». La quantité de nourriture et le mélange des ingrédients sont essentiels, la préparation doit être soigneuse, et les viandes doivent être combinées avec les légumes. Au cours de la préparation des plats ou des soupes, les éléments nutritionnels sont mis en combinaison raisonnable pour atteindre l'équilibration nutritionnelle. Quant à l'ingestion, il suffit de remplir l'estomac de 70% à 80% quand on prend un repas, cette pratique est transmise de génération en génération comme un secret d'une longue vie.

Les Chinois ont leurs propres manières et coutumes à table, le mangeur doit être assis, et les personnes âgées doivent s'asseoir en priorité quand hommes, femmes, vieux et jeunes partagent la même table. Il faut utiliser des baguettes pour manger les plats et la cuillère pour prendre de la soupe. Il ne faut pas faire le grand bruit en mangeant. Ces étiquettes continuent aujourd'hui, mais le plus grand changement, c'est que de plus en plus de Chinois ont abandonné leur propre initiative–le dicton antique : « On ne parle pas en mangeant ». En effet, en dînant avec les Chinois, on trouve souvent l'environnement plein de bruit. Beaucoup de gens, la bouche pleine, ont toujours l'intention de bavarder haut. Ce phénomène peut être dû au fait que les Chinois d'aujourd'hui considèrent manger comme une occasion importante des activités sociales. A ce moment, les gens ont besoin de se détendre et parler de certains sujets apaisants et joyeux afin de se comprendre plus profondément entre ceux qui sont assis à la même table.

Ces dernières années, en raison du développement accéléré des industries et du commerce, en plus des services traditionnels des alimentations commandées par le menu, les fast-foods chinois sont montés sur la scène. Aussi, les cuisines de tous les pays du monde sont, l'une après l'autre, apparues dans les grandes villes de la Chine; la pizza italienne, les gourmandises françaises, les sushis japonais, les hamburgers américains, les bières allemandes, le barbecue brésilien, le curry indien, le fromage suisse etc. On peut trouver presque tout avec une véritable liste exhaustive des alimentations à choisir qui permet de justifier l'adage: « la gastronomie peut être trouvée en Chine ».

Les Origines de La Culture Alimentaire

Il y a 2500 ans, les habitants de montagne dans le sud de la Chine ont inventé la technique de transformer les terres accidentées de montagne en terres fertiles. Ils puisaient de l'eau de source de montagne pour irriguer et cultiver le riz aux champs en terrasse. L'image montre les terrasses défrichées par des gens de l'ethnie zhuang à Guilin. (Photo prise par Xie Guanghui, fournie par la bibliothèque d'images de *Tourisme en Chine* de Hong Kong)

Remonter à la source et trouver l'origine des aliments

Certains croient que les grandes différences existant entre les habitudes alimentaires des différentes régions du monde sont attribuées à une multitude de facteurs, y compris les limitations de l'environnement sur le plan écologique, la quantité de la population et le niveau de productivité. La plupart des menus de viande sont trouvés dans des zones où la densité de population est relativement faible et le sol n'est pas nécessaire à cultiver ni favorable à soutenir l'agriculture. La dépendance à la viande a peut-être stimulé les activités économiques de partage et d'échanges commerciaux. En revanche, l'habitude alimentaire ayant les céréales, les racines des plantes, les tiges et les feuilles pour nourritures principales mais avec un peu de viande est généralement liée à un environnement où l'offre de nourriture surtout de la viande ne peut pas répondre à la demande avec une grande pression de population et une superficie limitée des terres cultivables. L'approvisionnement alimentaire dans ces régions dépend plus de la mode de production de se suffire à soi-même. Cependant, les habitudes alimentaires ne sont pas les règles qui ne changent jamais, même il est difficile de dire celle qui est meilleure ou pire. Mais avec la migration des personnes à l'échelle mondiale, les typiques traditions alimentaires attachées à leur propre région peuvent être acceptées et adoptées par de plus en plus de gens. Ces habitudes alimentaires régionales, elles-mêmes, évoluent et contiennent plus de nouveaux éléments. Les gens pourraient peut-être trouver dans la longue histoire de la culture alimentaire chinoise les traces de l'évolution commune de l'humanité.

La Chine est un des lieux originaires de l'agriculture du monde. Les Chinois ont inventé des techniques d'irrigation dans les temps très anciens, comme la construction des canaux et l'utilisation des terres en pente pour développer l'agriculture irriguée. Dès

5400 avant Jésus-Christ, on a déjà cultivé le millet (ce qui signifie la semence) dans le bassin du fleuve Jaune, conservé les céréales dans des grottes souterraines. En 4800 avant Jésus-Christ, dans le bassin du Yangtsé a été planté le riz (y compris deux genres, le riz gluant ou le riz non gluant, au début le « riz » signifie uniquement le riz gluant). Depuis l'ère agricole, les Chinois ont formé une composition alimentaire ayant les céréales pour principale nourriture et les viandes pour complément, cette tradition continue aujourd'hui.

Une des plus anciennes œuvres chinoises, « Huangdi Neijing », décrit ainsi la composition alimentaire des Chinois « Les cinq céréales sont les sources principales de l'énergie du corps, les cinq fruits comme compléments aident à la digestion, les cinq viandes ont l'avantage de tonifier l'énergie avec les protéines animales, et les cinq légumes comblent l'estomac avec les vitamines ». Les céréales, les fruits et les légumes sont tous les aliments végétaux. Les

Le séchage des récoltes au soleil sur les toits est une tradition plus vue dans les campagnes du sud de la Chine. (Photo prise par Feng Xiaoming, fournie par la bibliothèque d'images de *Tourisme en Chine* de Hong Kong)

cultures de céréales dans les temps anciens ont été appelées « les cinq céréales » ou « les six céréales », et se composent généralement de *shu* (parfois appelé « millet jaune », un petit jaune grain gluant), *ji* (ce que nous appelons aujourd'hui le millet, à titre de « chef des cinq céréales », le *shu* et le *ji* ont été les principales céréales de la Chine du Nord à l'époque antique), *mai* (y compris l'orge et le blé), *dou* (le terme général pour toutes les cultures à gousses qui poussent dans les régions des basses terres humides, et est la principale source de protéines pour les Chinois), *ma* (signifiant les graines comestibles de chanvre, la principale nourriture pour les agriculteurs dans l'antiquité chinoise), et *dao* (riz). Le *shu* et le *ji* sont tous autochtones en Chine, et ont été introduits en Europe à l'époque préhistorique. Le riz et le blé ne sont pas indigènes au nord de la Chine. On estime généralement que les origines de riz se trouvent dans le sud de la Chine, en Inde et en Asie du Sud-Est. Dans les ruines de la culture chinoise du néolithique Hemudu (5000-3000 avant Jésus-Christ), les archéologues ont trouvé les preuves les plus anciennes de la culture du riz du monde, mais aux premiers temps la culture du riz dans le nord de Chine a été loin d'être généralisée, et le riz était considéré comme une céréale précieuse. Sous la dynastie des Han (de 206 avant Jésus-Christ à 220 après Jésus-Christ), avec l'amélioration constante de l'irrigation et l'exploitation du sud, le riz est progressivement devenu un aliment général pour le peuple, mais le riz le plus blanc restait encore comme une céréale relativement coûteuse. Le blé est d'originaire d'Asie centrale ou d'Asie de l'Ouest, a été introduit en Chine du nord-ouest pendant la période néolithique, mais la culture de blé a été plantée plus tard que celle du riz, et jusqu'aux dernières années de la dynastie des Zhou (de 1046 avant Jésus-Christ à 256 avant Jésus-Christ), le blé n'était que pour l'aristocratie. De plus, le sorgho est aussi une culture indigène chinoise, et a été introduit en Inde et en Perse (aujourd'hui l'Iran) au premier siècle de notre ère. Au cours de la Fête du Printemps, les Chinois utilisent cette locution, « bonne récolte pour les cinq céréales », qui signifie en réalité le souhait de

Les supports spéciaux pour les cultures de céréales séchées sous le soleil utilisés dans les villages de la province du Guizhou (photo prise par Chen Yinian, fournie par la bibliothèque d'images de *Tourisme en Chine* de Hong Kong)

Après avoir été séchées à l'air, les nouilles peuvent être conservées pendant une plus longue période. (Photo prise par Michael Cherney, fournie par *Imagine china)*

la bonne récolte de toutes les cultures dans le nouvel an, de manière à apporter la prospérité. Cela montre évidemment que dans un grand pays où « Les masses considèrent la nourriture comme le ciel », la production des céréales a une importance énorme depuis l'antiquité.

Les expériences de cultiver les champs depuis longtemps ont permis aux Chinois de connaître de nombreuses plantes comestibles qui sont inconnues dans le monde occidental et de découvrir que la plupart des nutriments essentiels pour le corps humain peuvent être obtenus des plantes. Les haricots, le riz, le millet jaune, le millet et d'autres aliments que les Chinois mangent souvent sont tous riches en protéines, graisse et glucides.

Les aliments faits de céréales ont beaucoup de

variétés et de nombreuses formes. Le principal aliment traditionnel du nord de la Chine est le blé. Par conséquent, la plupart des plats sur la table sont les différents types de pâtisserie ou de pâtes. La farine de blé est transformée en pain cuit à la vapeur, crêpes, galette, nouilles, petit pain farci à la vapeur, ravioli, oreillette et ainsi de suite. D'autre part, dans le sud de la Chine, l'aliment principal est à base de riz. En plus du riz nature, il y a des nouilles minces de riz, des nouilles grosses de riz, les gâteaux de riz, les boulettes de riz glutineux fourrées et d'autres types de pâtes et de pâtisseries de riz qu'on peut trouver partout. La propagation du riz du sud au nord, et celle de l'orge et du blé de l'ouest à l'est influencent significativement les formations des habitudes alimentaires chinoises.

Le *bing*, crêpes chinoises, a été une des premières formes de la pâtisserie. D'après la plus ancienne méthode de faire le *bing*, il faut moudre les grains des céréales jusqu'à poudre, faire la

La Chine est un important centre d'origine pour les agrumes dans le monde. Les types originaux des agrumes sauvages peuvent être trouvés dans de nombreux endroits tels que Hunan, Sichuan, Guangxi, Yunnan, Jiangxi, Tibet et ainsi de suite. (Photo prise par Yu Shen, fournie par *Imagine china*)

pâte avec de la poudre et de l'eau, et puis la faire bouillir dans la soupe. Plus tard, apparaissent progressivement les autres méthodes, par exemple, cuire à la vapeur, cuire au four, griller, frire et ainsi de suite. Le *bing* a également le plus de variétés parmi tous les aliments faits de farine. Il y a toutes les sortes, toutes les tailles et toutes les épaisseurs, grand ou petit, épais ou mince, certains avec la farce. Même pour la farce, il n'y a pas moins de plusieurs dizaines de variétés. Les crêpes sans farce sont simples ou multicouches. Ceux qui ont d'excellentes compétences peuvent faire une douzaine de couches dans une crêpe qui est aussi mince que le papier. La galette aux sésames est le plus populaire aliment fait de farine, on peut la trouver à la fois dans le nord et le sud.

Les nouilles sont aussi un type d'aliment traditionnel à base de farine. La plus ancienne façon de accommoder les nouilles n'est que de les faire cuire à l'eau ou dans la soupe. Jusqu'après la dynastie des Song (960-1279), on a arrosé les nouilles de sauce à la viande ou de sauce végétarienne. Les nouilles ont une corrélation étroite avec les fêtes chinoises. Dans le nord, il y a un proverbe «le deuxième jour du deuxième mois (calendrier lunaire), le dragon relève la tête ». Alors on a la coutume de manger les nouilles Longxu (en forme de la barbe de dragon) le deuxième jour du deuxième mois pour souhaiter le beau temps et la bonne récolte de l'année. Dans les régions du sud, le premier jour du Nouvel An (calendrier lunaire), on prend « les nouilles de nouvel an ». En outre, on mange les nouilles de longévité pour célébrer des anniversaires. Quand un enfant a son premier mois plein, ainsi la famille doit tenir le « banquet de nouilles à la soupe ». Bien que l'art de la fabrication des nouilles semble simple, il est en fait une tâche complexe qui nécessite beaucoup de différentes compétences, telles que le laminage, les frottements, couper, l'étirement, le pétrissage, le roulage, aplatir, et trancher.

Au IIIe siècle, les Chinois ont saisi les techniques de fermentation de la farine à l'aide de la soupe du riz fermenté facilement comme catalyseur, ensuite on a essayé de neutraliser les processus de fermentation de la pâte avec la soude. Les inventions du panier à la vapeur, de la poêle à frire et d'autres ustensiles de cuisine, ainsi que les techniques de fermentation, ont contribué à fournir les possibilités interminables pour varier les types de pâtes et de pâtisseries. L'aliment le plus courant à base de farine, depuis le développement des techniques de fermentation, est le *mantou*, ou tout simplement le pain cuit à la vapeur.

Le riz cuit à la vapeur est le type le plus vu des aliments à base de riz, il est aussi la principale nourriture du Sud de la Chine. Mais le traditionnel aliment à base de riz qui est plus représentatif en Chine est le *zhou* (la bouillie chinoise). La bouille a une histoire de plusieurs milliers d'années en Chine, et la coutume que les gens mangent de la bouillie varie selon les régions. Il y a aussi d'innombrables variétés de bouillies chinoises. Seulement les ingrédients de base sont divisés en six genres principaux, y compris céréales, légumes, fruits, fleurs, herbes et viandes. Et la façon de manger du riz nappé d'une bouillie existe depuis longtemps.

Il y a trente ans, le riz et la farine blanche ont été considérés comme des « aliments fins », que la plupart des gens ordinaires n'avaient pas de moyens de manger à chaque repas. Leurs homologues, les «aliments bruts » ont été en fait les aliments principaux des Chinois, y compris le maïs, le millet, le sorgho, le sarrasin, l'avoine, les ignames, les haricots et ainsi de suite.

Parmi tous les « aliments bruts», le soja joue le rôle le plus important. La plantation de soja a été enregistrée pour la première fois sous la dynastie des Zhou de l'Ouest (1046 avant Jésus-Christ-771 avant Jésus-Christ). Le soja à cette époque-là était la nourriture des paysans. Il n'a pas été accepté par les mandarins et les hommes de lettres dans la société chinoise jusque sous la dynastie des Han de l'Ouest (206 avant Jésus-Christ-25 après Jésus-Christ), après l'émergence du *toufu* (fromage de soja). A présent, il y a plus d'une centaine de sortes de *toufu* et des aliments faits de lait de soja. Le soja cultivé et les nombreux produits de soja fabriqués par les Chinois prévoient une source importante de protéines végétales et de nombreuses sauces fines pour les alimentations humaines. Le *toufu* est placé entre la catégorie des aliments principaux et celle des aliments complémentaires. Il a donné naissance à de nombreuses sortes de plats, et fait partie de la cuisine typique du foyer chinois. Différents des Occidentaux qui prennent généralement du beurre ou d'autres huiles animales, les Chinois utilisent la plupart du temps des huiles végétales comme l'huile de soja, l'huile de colza, l'huile d'arachide, l'huile de maïs et ainsi de suite.

Dans les œuvres chinoises avant la dynastie des Qin (221 avant J.-C.), les fruits les plus vus sont les pêches, les prunes et les jujubes, et les suivants sont les poires, les prunes aigres, les abricots, les noisettes, les kakis, les melons, les cenelles, et les mûres, d'autres fruits comme le *gouqi* chinois, les pommes d'api et les cerises apparaissent quelquefois. La plupart de ces arbres fruitiers sont indigènes dans les zones tempérées du nord de la Chine, ou ont été introduits en Chine à l'époque préhistorique.

Les moulins en pierre sont des outils importants pour le traitement traditionnel des céréales. Avant les années 1950, à de nombreux endroits, les moulins en pierre ont également été une dot importante quand les filles se marient. À l'heure actuelle, le traitement mécanique est de plus en plus utilisé dans les régions rurales. La photo montre un moulin dans une maison de grotte dans la province du Shaanxi. (Photo prise par Xiaogang Shan, fournie par la bibliothèque d'images de *Tourisme en Chine* de Hong Kong)

Le riz est une source importante de la principale nourriture chinoise. Des montagnes Daxing'anling aux zones le long du Yangtsé, et du haut plateau du Yungui au pied de l'Himalaya, dans ces régions où le riz peut être cultivé, il apparaîtra dans la liste de l'alimentation quotidienne, les fêtes religieuses et les banquets de mariage ou dans les peintures et les chansons. La plantation de riz apporte les changements des paysages dans ces régions. Près de 3 milliards de personnes dans le monde partagent la culture, la tradition et le potentiel inexploité du riz. La photo montre que les agriculteurs font le repiquage du riz dans les rizières dans la province de Hainan. (Photo prise par Yijun Xiong, fournie par *Imagine china*)

Parmi lesquels, les pêches, les prunes, les jujubes et les châtaignes étaient souvent utilisés comme les sacrifices des cérémonies ou les cadeaux. Environ au Ier ou IIe siècle avant Jésus-Christ, les pêches ont été exportées du nord-ouest de la Chine en traversant l'Asie centrale jusqu'en Perse, et plus de là, la pêche a trouvé son chemin vers la Grèce et d'autres pays européens. Il est donc contrairement à la croyance commune des Européens que les pêches sont d'origine de Perse. Beaucoup d'autres fruits autochtones dans le sud de la Chine, y compris les tangerines, les pamplemousses, les mandarines, les oranges, le litchi, le longane, les pommes d'api, la nèfle du Japon, l'arbouse, sont progressivement consommés et les arbres sont plantés dans des domaines plus vastes.

Depuis l'époque avant la dynastie des Qin, les aliments des Chinois sont principalement les céréales, les viandes sont relativement peu nombreuses et les céréales sont abondantes. Avec le développement des techniques des plantations des légumes, les légumes ne sont plus les aliments privilégiés des riches. Probablement, la liste des légumes mangés par les Chinois est la plus variée du monde, ceux qui sont les plus vus comprennent le chou, le navet, l'aubergine, le concombre, les divers haricots, la ciboulette, la courge cireuse, les champignons comestibles, la pousse de bambou et d'autres herbes sauvages comestibles plantées en petites quantités. Les légumes, servant à aider les gens à avaler le riz, sont les aliments complémentaires par rapport aux aliments principaux. Cela a également sans cesse promu les développements des techniques culinaires. Les racines, les tiges et les feuilles de tous les légumes, peuvent être mangées crues ou cuites, conservées après le séchage à l'air et salées pour faire les petits plats, toutes ces façons rendent les goûts des légumes les plus variés possible.

Au cours de la transformation d'une société de pêche et de chasse à la société agricole, la viande a également été une fois une composante importante de l'alimentation complémentaire des Chinois, en raison de la technique sous-développée de la culture des légumes. A l'époque de la société de l'agriculture, les Chinois ont considéré le bœuf, le mouton et le cochon comme trois *sheng* (trois animaux sacrificiels). Lors des cérémonies cultuelles ou des banquets, les trois animaux complets signifient les plus grandioses cérémonies ou les meilleures offres. Le cheval, le bœuf, le mouton, la poule, le chien et le cochon, sont appelés ensemble six *chu* (six animaux domestiques). Sous l'influence de la densité relativement élevée de population et des limitations de l'environnement naturel, les chevaux et les bœufs ont été le plus souvent en tant que principaux partenaires à l'agriculture, mais pas les animaux élevés consacrant à la cuisine. Par conséquent, jusque sous la dynastie des Song, le bœuf a été considéré comme un régal rare, tandis que le mouton était déjà devenu un plat très commun. L'agneau (viande d'un mouton de moins d'un an) a été considéré comme la viande ultra du mouton. Au point de vue de l'écriture, le caractère chinois « 美 mei » composé de « 羊 yang » (mouton) et « 大 da » (grand), signifie la beauté, concernant la consommation de mouton dans le sens et la forme de caractère. Les cochons et les poulets étaient également les premiers animaux domestiques comme sources alimentaires. En raison du développement de l'élevage de volaille à une époque très ancienne, les œufs sont les aliments les plus consommés d'origine des animaux pour les Chinois. Dans les régions rurales de la Chine, à l'exclusion de celles des musulmans, la caractéristique commune est d'élever les cochons, le porc est ainsi la viande la plus ordinaire dans la cuisine chinoise. Avec la même attitude envers l'agneau, les Chinois antiques pensaient que la viande provenant d'un porcelet avait un meilleur goût que celle d'un cochon adulte. Autrefois, les chiens auraient été abattus à tout moment pour devenir les plats sur la table. Bien qu'on n'ait pas pris la viande de chien aussi souvent que le porc et le poulet, il existait la profession spécialisée pour les bouchers de chien. Les Chinois ont aussi inventé le primitif incubateur d'œufs, la cellule de reproduction et de nombreux autres dispositifs pour l'élevage des volailles. Quant aux habitants dans les régions littorales, ils ont les produits de la mer faciles à obtenir et les légumes pour aliments complémentaires.

Par rapport à la composition alimentaire à base des aliments animaux excessifs, d'après de nombreux nutritionnistes, les habitudes alimentaires des Chinois penchant pour les céréales comme nourriture principale, avec le poisson, la viande, les œufs, le lait et les légumes comme aliments complémentaires favorisent l'apport nutritionnel équilibré et la santé, et correspondent également à l'appel mondial à l'économie de l'énergie et à la protection de l'environnement. Comme les gens de nos jours sont plus sensibilisés de la protection de l'environnement et de la santé, il y a de plus en plus de Chinois qui sont conscients de suivre un régime végétarien.

Les aliments d'origine étrangère

Selon les statistiques, sur la Terre existent environ 70 000 ou 80 000 espèces de plantes comestibles, parmi lesquelles environ 150 espèces qui peuvent être cultivées en grande quantité. Toutefois, seulement 20 espèces sont largement utilisées dans l'agriculture aujourd'hui, mais représentent déjà 90% de la production totale de céréales mondiales. Tout comme à d'autres pays du monde, le commerce et la propagation des aliments et des espèces végétales et animales comestibles en Chine ne sont jamais cessés depuis l'Antiquité. Cela non seulement élargit le domaine de l'approvisionnement alimentaire et varie la liste des plats savoureux, mais également entraîne des changements dans les habitudes alimentaires et enrichit la vie de la culture alimentaire des Chinois.

Outre un petit nombre d'espèces alimentaires qui ont été introduites en Chine pendant la période pré-Qin, les événements du commerce et de la propagation alimentaires de plus grande envergure ont eu lieu au cours de la dynastie des Han de l'Ouest où le pays était extrêmement puissant

Bien que l'histoire des Chinois de manger les piments ne soit que plus de 300 années, la coutume de manger les piments est vraiment populaire. La photo montre un vendeur des piments rouges. (Photo prise par Zheng Yunfeng, fournie par la bibliothèque d'images de *Tourisme en Chine* de Hong Kong)

et prospère il y a plus de deux mille ans. Le raisin, la grenade, le sésame, la fève, la noix, le concombre, la pastèque, le melon, la carotte, le fenouil, le céleri, le persil chinois (coriandre) et d'autres espèces alimentaires, d'origines de la région de Xinjiang (Ouïgour) de la Chine ou d'Asie de l'Ouest et d'Asie centrale, ont été introduits par la Route de la Soie dans le territoire central de la Chine où les Han s'assemblaient.

C'est également à partir de ce moment-là, les échanges entre la Chine et les pays étrangers se sont multipliés de jour en jour. De nombreux aliments qui ne sont pas indigènes en Chine ont commencé à apparaître sur les tables des Chinois.

Le maïs, d'origine de l'Amérique, s'est présenté dans le nord de la Chine à travers l'Europe, l'Afrique et l'Asie de l'Ouest. La pomme de terre, placée entre le groupe des nourritures principales et celui des légumes, est venue en Chine via les régions côtières du sud-est. D'abord elle a été plantée seulement dans la province du Fujian et du Zhejiang, et répandu plus tard partout en Chine. Les semences du tournesol ont été introduites en Chine de l'Amérique au XVIIe siècle, et elles ont servi à extraire de l'huile 200 ans plus tard, rendant la ligne d'huiles en Chine encore plus complète. L'ambérique vert, une culture à gousses, d'origine indienne, a été apporté en Chine sous la dynastie des Song du Nord (960-1127). Les épinards, sont venus en Chine via la Perse pendant le règne (627-649) de l'empereur Taizong de la dynastie des Tang. L'aubergine, d'origine aussi d'Inde, est parvenue en Chine avec la propagation du bouddhisme sous les dynasties du Nord et du Sud (420-589).

Certaines espèces de cultures, indigènes en Chine, telles que l'arachide, l'ail, la tomate, la momordique, le pois, ont été remplacées par des espèces étrangères sélectionnées.

La plupart des fruits introduits au premier temps en Chine venaient d'Asie de l'Ouest (comme le raisin), d'Asie centrale (comme les pommes au début), de Méditerranée (comme les olives), d'Inde (par exemple, les oranges), et d'Asie du Sud (comme

Manger une sucette glacée (photo en 1957 à Beijing, fournie par le département des photos de l'Agence de Presse Xinhua)

Les ustensiles pour le café. (Photo prise par Wang Hao, fournie par *imagine china*)

la noix de coco et la banane). D'autres fruits comme l'ananas, la tomate, la goyave, la fraise, la pomme, le durian, la pamplemousse, qui sont devenus les fruits principaux pour les Chinois, ont été importés en Chine d'Asie du Sud-Est, d'Amériques, d'Australie ou d'Océanie à l'époque moderne.

Le piment fort, un type d'épices et de légumes très populaire pour la cuisine chinoise, n'a qu'environ 300 ans d'histoire en Chine. Les dossiers historiques indiquent que les piments forts sont venus en Chine par la mer du Pérou et du Mexique à la fin de la dynastie des Ming (1368-1644). Le sucre est la source la plus importante de douceur de la cuisine, mais sa production en Chine a commencé après que l'empereur Taizong avait envoyé les ambassadeurs apprendre les techniques de fabrication du sucre en Asie centrale sous la dynastie des Tang. La nageoire du requin et le nid de salanganes que les Chinois considèrent comme les mets recherchés ont été introduits en Chine d' Asie du Sud-Est au XIVᵉ siècle. A partir de la dynastie des Qing (1616-1911), ils sont devenus des aliments somptueux. Avec l'influence grandissante de la culture occidentale, les boissons exotiques comme le café, le soda, le jus de fruits, ainsi que la bière, le whisky, le vin mousseux et le vin rouge et blanc, ne sont plus une rareté aux yeux des Chinois.

Quant aux plats, les premiers aliments étrangers ont figuré dans les recettes chinoises sous la dynastie des Tang. Comme le commerce entre la Chine et d'autres pays était de plus en plus fréquent, les aliments apportés par les Arabes ont fait naître les plats musulmans en Chine qui faisaient une grande contribution à la diversification de l'alimentation chinoise et des techniques de la cuisine. Aux temps modernes, les aliments occidentaux sont venus en Chine. Non seulement tous les types de restaurants occidentaux se trouvent autour des ports de commerce, mais également se sont formés de nouveaux styles des techniques gastronomiques fusionnant celles de la Chine et celles de l'Occidental. C'est plus éclatant dans la cuisine Yue (cantonaise) de la Chine.

Ces dernières années, à mesure que les échanges économiques et culturels avec les étrangers se multiplient, l'importation des espèces sélectionnées d'animaux et de plantes en provenance des pays étrangers est déjà devenue un élément important de l'activité des importations chinoises. De plus en plus d'aliments étrangers sont entrés dans les familles chinoises. Toutefois, le gouvernement chinois, tout comme les gouvernements des autres pays, commence à affronter la menace de l'importation en grandes quantités ou l'invasion d'espèces étrangères pour les variétés biologiques du pays. Les lois et les politiques sur la protection de la sécurité écologique nationale ont été rédigées et mises en pratique.

De beaux ustensiles de cuisine

Les humains ont évolué de l'époque préhistorique où les ancêtres prenaient de la viande crue et du sang frais d'animaux aux temps où des êtres intelligents et habiles peuvent rendre les aliments délicieux avec l'aide de l'art culinaire. Les gens ont pris autrefois la nourriture avec les mains nues mais maintenant dînent avec les baguettes, les couteaux, les fourchettes et les cuillères. Il paraît que les changements de la façon de manger et des ustensiles de table peuvent refléter le chemin de l'évolution humaine de l'état primitif à la modernisation. Les ustensiles de cuisine des Chinois ont un lien étroit avec l'art culinaire et les habitudes alimentaires. Aujourd'hui, les gens peuvent apprendre l'histoire des ustensiles de cuisine à travers les objets et les œuvres écrites qui ont été transmis de génération en génération. Des ustensiles de cuisine chinois ont connu les changements de matériel. Ils étaient successivement en pierre, en poterie, en bronze, en fer et en d'autres métaux. Ceux qui sont encore utilisés aujourd'hui et bien connus dans le monde entier sont les vaisselles en porcelaine de toutes formes qui sont « made in China ». Comme le niveau de productivité s'élève sans cesse, les ustensiles de table connaissent les changements non seulement de matériel, mais aussi un changement typique d'artisanat, ceux qui sont grands deviennent petits ; ceux qui sont mal finis deviennent bien faits , ceux qui sont épais deviennent fins.

Les ustensiles de cuisson les plus anciens en Chine comprennent *ding, li, huo, zeng, yan* qui sont tous en terre cuite. Plus tard se sont présentés les successeurs plus grands et plus élégants portant les mêmes noms que ces ustensiles, mais en bronze et en fer. Certains de ces ustensiles de cuisson sont utilisés également comme contenant pour la nourriture, tels que le *ding* qui a été utilisé à la fois à cuire et à contenir de la viande. Le *ding* est généralement de grande taille, en forme ronde et a trois socles de soutien. Certains sont carrés avec quatre piédestaux. Entre les piédestaux, le combustible peut être placé pour le

Depuis le néolithique, le *ding* en poterie a été utilisé comme principal ustensile à cuisson. À la fin de la dynastie des Xia (environ du XVIIIe siècle au XVIe siècle avant Jésus-Christ), les *dings* en bronze, dont certains gardaient ses fonctions traditionnelles de la cuisine, ont été généralement utilisés comme récipient pour les plats de viandes lors des rites sacrificiels. Ce *ding* sur la photo est l'un des premiers en bronze existant encore en Chine, avec une hauteur de 18,5 cm et un diamètre à l'ouverture de 16,1cm.

chauffage direct. Respectivement sur les deux côtés de l'extérieur supérieur du *ding* il y a une poignée servant à le déplacer facilement. A l'Âge du Bronze, la fonction du *ding* a changé. Certains ont été utilisés comme outils importants dans les rites sacrificiels. Le *li* est utilisé pour cuire de la bouillie. Il est en forme similaire au *ding*, mais de plus petite taille. Ses trois piédestaux sont creusés et communiquent au ventre. Par conséquent, la nourriture peut être chauffée et cuite plus rapidement. Le *huo*, spécialement utilisé pour cuire les viandes, est plus avancé que le *ding*. Il a un ventre rond, mais sans pieds, ressemble plus au *guo*, qui est né plus tard. Le *zeng* est utilisé pour cuire la nourriture à la vapeur. Sa bouche se replie vers l'extérieur et est munie de poignées. Le fond est plat avec de nombreuses ouvertures pour faciliter le passage de la vapeur. Certains n'ont pas de fond, mais possèdent un réseau en dessous. Lors de l'utilisation, le *zeng* est placé sur le *li* dont les trois piédestaux creusés sont remplis de l'eau. Ce qui relie le *zeng* et le *li* c'est le *yan*. Les Chinois ont inventé le *zeng* en terre cuite à la fin du Néolithique. Après la dynastie des Shang (environ du XVIIe au XIe siècle avant Jésus-Christ), s'est présenté le *zeng* en bronze.

Tous les contenants ont leurs propres responsabilités. Parmi les objets restants maintenant, outre les assiettes et les bols dont les fonctions diffèrent peu des versions d'aujourd'hui, il y a aussi *gui*, *fu*, *dou*, *dan*, *bei* et ainsi de suite. Le *gui* ressemble beaucoup au grand bol, avec une bouche ronde et un grand ventre sur une base ronde ou carrée. Certains ont deux ou quatre poignées au bord externe supérieur. Le *gui* a été initialement utilisé pour contenir les céréales, et ensuite comme à la fois un ustensile de table et un outil rituel. Les Chinois

Le *gui* est un type des ustensiles antiques pour le millet et le riz. Ce *gui* en bronze a été fait au XIe siècle avant Jésus-Christ, avec une hauteur de 14,7 cm et un diamètre à l'ouverture de 18,4 cm.

antiques ont rempli le *gui* de riz qui était déjà cuit dans le *zeng* avant de manger. La fonction du *fu* est similaire à celle du *gui*, et sa forme ressemble à celle du compotier né plus tard, mais la plupart des *fu* ont un couvercle. La différence entre le *dou* et le *fu* est que le *dou* est un compotier sur pied. Le *dou* en poterie s'est présenté à la fin du Néolithique. Après la dynastie des Shang, il y avait des *dou* laqués en bois et en bronze. Le *dou* n'est pas seulement un ustensile de cuisine, mais aussi un outil de mesure (aux temps anciens, quatre *shengs* font un *dou*). Le *dan* est un contenant pour le riz, en bambou ou en paille. Le *bei*, n'est pas si différent de la coupe d'aujourd'hui sur la forme ou la fonction, principalement pour contenir de la bouillie ou de la soupe. Quand on prend de la viande ou du riz, il faut utiliser le *bi*. Mais le *bi* pour prendre des morceaux de viande cuite dans le *huo* est plus grand que celui utilisé pour prendre du riz cuit dans le *zeng*. La fonction du *bi* est même que celle de la cuillère des temps modernes.

La Chine a une longue histoire de la vinification. D'innombrables ustensiles de vin en bronze de la dynastie des Shang ont été découverts. De ce fait, on peut deviner que la coutume de boire de l'alcool a été en vogue à cette époque-là. Le *zun* (au ventre rond en saillie, grande bouche ouverte, long cou, à pied rond, dans de nombreux designs et des types différents de processus de production et du matériel. La forme la plus populaire de la dynastie des Shang a été celle des oiseaux et des bêtes), le *hu*, (Long cou et petite ouverture, certains au ventre profond avec une base ronde et un couvercle, certains avec la poignée), le *you*, (Ouverture elliptique, au ventre profond avec la base ronde, avec également un couvercle et la poignée), le *lei* (en formes rondes ou carrées, ses ouvertures varient dans la taille, un cou court avec les épaules carrées, au ventre profond, avec le pied rond ou une base ronde, et un couvercle), et le *fou* (en terre cuite) est comme les ustensiles pour contenir du vin, le *jue* (au ventre profond, tripied, peut être chauffé au-dessus du feu, avec la rainure comme un bec en haut facilitant le transvasement), le *gu* (l'ustensile à boire le

Le *yan* est un genre des ustensiles anciens de cuisine. Ce *yan* en bronze a été fait environ du XIII°siècle au XI° siècle avant Jésus-Christ avec une hauteur de 45,4cm et un diamètre à l'ouverture de 25,5cm.

plus courant, utilisé le plus souvent en combinaison avec le *jue* qui est plus grand, l'ouverture est en forme de trompette, long cou, taille mince, sur pied haut et rond), le *zhi* (la forme est similaire au *zun* mais plus petite, certains avec des couvercles), le *jia* (bouche et ventre ronds, trois pieds et une poignée courte, utilisé pour chauffer l'alcool), le *gong* (ventre ovale, a un bec extérieur pour l'écoulement du vin, poignées courtes, pied rond, le couvercle en forme de la tête d'une bête, certains ont un corps entier comme un animal, avec une petite cuillère), le *bei* (coupe), le *zhan* (petite coupe basse) sont des ustensiles à boire. Le vin est stocké dans de grands récipients tels que le *lei*. Au moment de boire, le vin est versé dans le *hu* ou le *zun* qui sont placés à côté de table, puis le vin y est puisé pour remplir le *jue*, le *gu*, ou le *zhi* à l'aide d'une cuillère avant de le boire.

Avec les naissances des grandes inventions comme la poudre à canon, la boussole, l'imprimerie en caractères mobiles et ainsi de suite qui représentent l'avancement scientifique et technique de la Chine, la technologie de porcelaine chinoise a atteint un sommet sans précédent sous la dynastie des Song, et la fabrication de la porcelaine verte, de la porcelaine blanche, de la porcelaine noire, et des porcelaines de couleur avec la glaçure ou la glaçure émaillage a connu une grande amélioration. On a vu plus de créativité dans la modélisation, les illustrations décoratives des modèles et l'émaillage. De nombreuses œuvres de porcelaine fines qui sont célèbres aujourd'hui en Chine et aux étrangers ont été créées durant cette période-là. Les porcelaines exquises pour l'alimentation et le vin, ainsi que la tradition chinoise de la « recherche du raffinement » des alimentations, sont devenues le patrimoine très précieux de la culture alimentaire chinoise qui rend les Chinois si fiers.

Parlant des caractéristiques importantes de la culture alimentaire chinoise, on peut naturellement penser aux baguettes que les Chinois utilisent pour prendre un repas. Les trois principaux types d'outils à manger de l'homme sont les doigts, les fourchettes et les baguettes. Saisir la nourriture avec les doigts est une coutume typique pratiquée en Afrique, au Moyen-Orient, en Indonésie et sur le sous-continent indien. Les Européens et les Américains du Nord utilisent les fourchettes pour manger. D'autres peuples, comme les Chinois qui utilisent des baguettes pour manger, sont notamment les Japonais, les Vietnamiens, et les Coréens du Nord et du Sud. En raison de l'influence des Chinois d'outre-mer, l'utilisation des baguettes est également en train de devenir une tendance dominante pour les personnes en Malaisie, à Singapour et en Asie du Sud-Est.

Il y a une légende célèbre sur l'origine des baguettes qui ont été appelées *zhu*. Pendant les temps antiques des règnes des rois sages légendaires, Yao et Shun, les inondations sont devenues catastrophiques. Dayu a reçu l'ordre de lutter contre les inondations. Un jour, Dayu met en place un chaudron pour bouillir de la viande, et la viande cuite dans l'eau bouillante doit généralement être refroidie avant d'être tenue à la main. Ne voulant pas perdre de temps, Dayu coupe deux rameaux d'un arbre et les utilise pour pincer des morceaux de viande à l'intérieur de la soupe bouillante. A voir qu'il a pu manger de la viande sans brûler ni encrasser les mains avec les rameaux, les hommes sous son ordre l'imitent ainsi l'un après

Un bol en jade en forme de feuilles de lotus, fait sous la dynastie des Ming (1368-1644) avec une hauteur de 5,3cm et un diamètre à l'ouverture de 9,4cm.

l'autre. Peu à peu, la forme rudimentaire des baguettes s'est faite. L'histoire légendaire de Dayu d'inventer les baguettes, c'était une façon en l'honneur du héros pour les Anciens. Au point de vue de fonctionnement, les baguettes ont été nées comme outil pratique pour prendre les alimentations qui peuvent brûler la main quand elles sont chaudes. Le livre de la dynastie des Han *Shuowen Jiezi* (livre qui analyse et explique les caractères) explique le caractère *zhu* : « pour saisir ou pincer de deux côtés et élever », et « pincer avec les choses en bois ». Il est évident que les anciens Chinois ont utilisé tout d'abord les rameaux ou le bambou comme les outils de prendre un repas.

Les documents historiques consignent clairement que, sous la dynastie des Shang il y a plus de 3000 ans, les Chinois ont déjà commencé à utiliser des baguettes pour manger. La plus ancienne paire de baguettes existant aujourd'hui est en bronze, découverte dans les ruines Yin (ruines de la capitale de la fin de la dynastie des Shang, situées à Anyang de la province du Henan actuel

Il est difficile de trouver un meilleur remplacement des baguettes pour goûter certaines cuisines et collations chinoises, comme l'agneau à la marmite mongole.

qui est la plus ancienne capitale dans l'histoire chinoise avec un emplacement confirmé. Les inscriptions antiques gravées sur des os et des carapaces utilisés pour la divination y ont été découvertes en 1899. Sur le site ont commencé des fouilles archéologiques à grande échelle en 1928). En arrivant à la dynastie des Han, les baguettes ont été largement utilisées par les Chinois. Dans l'histoire de la civilisation humaine, l'utilisation des baguettes par les Chinois est une invention scientifique dont ils sont fiers. Le célèbre physicien chinois d'outre-mer Li Zhengdao a une fois apprécié les baguettes: « Une paire de choses tellement simple, mais utilise le principe du levier de la physique de façon remarquable. Les baguettes deviennent le prolongement des doigts de l'homme et peuvent faire tout ce que les doigts peuvent faire, mais elles sont imperméables à la chaleur ou au froid extrême, c'est vraiment génial ».

Les baguettes, grande invention des Chinois, sont probablement en relation avec la grande consommation des racines, des tiges et des feuilles de légumes dans le régime alimentaire des Chinois. Les baguettes ont encore joué un rôle important au cours du développement de la cuisine chinoise et dans les habitudes alimentaires des Chinois. Par exemple, manger les aliments comme l'agneau à la marmite, les longues nouilles, les nouilles du riz ou de l'amidon des patates devient juste beaucoup plus amusant et pratique avec l'aide des baguettes.

Par rapport aux couteaux et aux fourchettes, les baguettes semblent plus difficiles à manipuler. Les deux bâtons minces n'ont pas de point de contact direct. Plutôt, avec le pouce, l'index et le majeur travaillant ensemble, les bâtons peuvent réaliser des prouesses multiples, y compris lever, remuer, pincer, mélanger, et écarter. Et on peut prendre toutes les nourritures sauf les soupes, les bouillies et d'autres types de produits alimentaires liquides. Des études spécifiques montrent que lors de l'utilisation des baguettes pour pincer les aliments, il s'agit du mouvement de plus de 80 articulations et de 50 morceaux de muscles des épaules, des bras, des poignets et des doigts. L'utilisation des baguettes peut rendre l'esprit vif et la main habile. Beaucoup d'Occidentaux apprécient que l'utilisation des baguettes des personnes d'Orients soit une forme d'art. Certains pensent même que les Chinois sont excellents en tennis de table et qu'il faut le devoir à l'utilisation des baguettes.

Toutefois, les baguettes ont encore sa faiblesse par rapport aux couteaux et aux fourchettes ou à la façon de manger de la main. Quand il s'agit des aliments ronds et glissants tels que les boulettes de riz glutineux farcies, les boulettes de viande ou les œufs de pigeon, les compétences de l'utilisation des baguettes sont mises à l'épreuve. Ceux qui n'ont pas assez de techniques peuvent tomber dans les situations embarrassantes.

Les Occidentaux font grand cas de la culture de la salle à manger, tenant le plus souvent le couteau dans la main droite, la fourchette à gauche, et mangent en agissant de concert avec deux mains simultanément. Les Chinois ont également leurs propres règles lors de manger. Les baguettes servent à manger le riz et les plats, et les cuillères sont pour la soupe, mais on ne peut utiliser qu'une main en même temps, contrairement à l'Ouest où les deux mains sont utilisées simultanément. En outre, il existe des habitudes protocolaires lors de manger avec les baguettes. Généralement les baguettes doivent être tenues dans la main droite. Dans les temps anciens, le prône d'utiliser les baguettes avec la main droite a été réalisé. Le repas terminé, les baguettes doivent être solidement placées juste au-dessus du milieu du bol vide. Pour un arrêt temporaire au cours d'un banquet, les baguettes peuvent être posées sur la table près du bol et ne doivent pas être placées debout dans le bol. C'est parce qu'elles ne peuvent être placées debout que dans les bols des offrandes sacrificielles d'après l'antique tradition chinoise d'offrir des sacrifices aux ancêtres. Il ne faut pas mélanger sans but les aliments ou piquer des choses avec les baguettes. Lorsque deux personnes pincent simultanément les aliments, les paires de baguettes ne peuvent pas s'entrecroiser. On ne doit jamais frapper sur un bol vide avec des baguettes. On ne peut pas utiliser deux baguettes de différentes longueurs ou seulement une baguette pour manger. Les baguettes ne peuvent pas être utilisées à la place de cure-dents et en sens inverse etc.

Comme elle sont les outils quotidiens des Chinois, il n'est pas difficile de trouver des baguettes faites d'un grand nombre de matériaux, y compris bambou, bois, or, argent, fer, bronze, jade, ivoire, et corne de rhinocéros. Les rois et les empereurs de Chine antique dînaient généralement avec des baguettes d'argent, car elles ont la propriété particulière de réagir aux produits chimiques toxiques en devenant noires, en garantissant ainsi la sécurité des aliments.

Les baguettes ne sont pas seulement les plus fidèles «serviteurs» sur les tables à manger des Chinois, mais aussi un ouvrage culturel populaire digne de la collection. Par conséquent, dans de nombreuses régions en Chine sont produites des « baguettes de marque » faites des superbes matériaux et par le processus d'artisanat spécial. La valeur artistique unique des baguettes a gagné la faveur des touristes et des collectionneurs nationaux et internationaux. Le collecteur de Shanghai, M. Ling Lan, avait une vue perçante puisqu' il a créé le premier musée familial de la Chine consacré à la collection des baguettes. Plus de 1 200 paires de

Beaucoup de gens ont l'habitude de collectionner les baguettes en argent comme un souvenir du temps passé, mais ces éditions sont rarement utilisées pour prendre les repas dans la vie quotidienne.

baguettes de plus de 800 types y collectionnées dans une splendeur extraordinaire peuvent être admirées par les visiteurs. La collection, y compris les baguettes spéciales utilisées à l'hôtel, les baguettes de souvenir des sites touristiques, les baguettes utilisées pour la teinture de tissu à la campagne, les accessoires de la danse mongole des baguettes, les baguettes en fer utilisées comme armées dans les armes antiques; les baguettes spéciales pour nourrir les oiseaux, la liste s'allonge encore. En Indonésie, un Chinois âgé d'outre-mer a une collection de plus de 908 types de baguettes, parmi lesquelles il y a une paire de baguettes en or qui a été utilisée par une ancienne concubine impériale chinoise.

Les Traditions Alimentaires

Le moment précieux pour partager un repas

Les Chinois ont eu un régime alimentaire régulier à l'époque antique. C'était d'abord une pratique de deux repas par jour. Le premier repas, appelé *zhaoshi* (nourriture du matin), on l'a pris habituellement autour de neuf heures du matin. Le deuxième repas, *bushi*, on l'a pris environ quatre heures de l'après-midi. Le sage chinois Confucius a dit : « bu shi bu shi », en français ça veut dire : « les nourritures ne doivent pas être prises si ce n'est pas le moment approprié », en mettant l'accent sur les repas ponctuels et les nourritures correspondant à leurs saisons. Environ sous la dynastie des Han (de 206 avant Jésus-Christ à 220), avec un meilleur développement de l'agriculture, les gens de chaque nationalité dans toutes les régions ont progressivement commencé à adopter la pratique de trois repas par jours : le petit déjeuner, le déjeuner et le dîner. Seulement leurs dîners étaient pris beaucoup plus tôt que ceux des hommes modernes, car ils croyaient : «le travail commence avec l'aube et le repos doit être pris lorsque le soleil se couche ». Les trois repas de la journée doivent être préparés et mangés frais. Cela montre dans une certaine mesure que les Chinois ont tellement envie et tant de passion pour la nourriture. Ces dernières années, le rythme de vie des Chinois

Le beignet chinois et le lait de soja composent le genre de petit déjeuner préféré des Chinois. (Photo prise par Liu Jianming, fournie par la bibliothèque d'images de *Tourisme en Chine* de Hong Kong)

De nombreux citadins aiment prendre le petit déjeuner aux échoppes situées au bord de la rue. (Photo prise par Shan Xiaogang, fournie par la bibliothèque d'images de *Tourisme en Chine* de Hong Kong)

Mantou, soit le pain cuit à la vapeur, est l'une des principales nourritures chinoises. De nombreuses familles vivant dans le nord de la Chine peuvent le faire à la maison, mais certaines personnes préfèrent acheter les pains cuits à la vapeur vendus dans les rues par commodité. (Photo prise par Ma Yuanhao, fournie par la bibliothèque d'images de *Tourisme en Chine* de Hong Kong)

La façon que tous les membres de la famille mangent autour de la table reflète la valeur éthique des Chinois qui chérissent la famille. (Photo prise en 1950, fournie par le département des photos de l'Agence de Presse Xinhua)

De petits pains farcis avec soupe, des raviolis, et des boulettes farcies cuites à la vapeur ; tous ne peuvent pas être faits sans les paniers cuit-vapeur. (Photo prise par Yang Yankang, fournie par la bibliothèque d'images de *Tourisme en Chine* de Hong Kong)

urbains est de plus en plus rapide. On fréquente de plus en plus les restaurants, en particulier lors du déjeuner. A midi les gens prennent le repas dans les cantines ou dans des restaurants près du bureau. Pour le dîner, la mère de famille le prépare généralement avec le grand soin.

En comparaison de la manière occidentale de prendre individuellement les aliments, la façon de partager les plats communs est considérée comme une caractéristique marquée de la culture alimentaire de la Chine. Pour les Chinois, dans la salle à manger de famille ou aux restaurants avec les amis ou les collègues, les gens s'installent en général autour de la table et mangent le plat dans la même assiette et partagent le même bol de soupe. Mais ce n'était pas toujours le cas, les anciens Chinois avaient les aliments servis individuellement pendant un certain temps avant le basculement.

Les premiers ustensiles de cuisine et de table étaient principalement en terre cuite et tous étaient placés sur la terre. Plus tard, des outils de soutien ont été inventés, soit des tables basses en bois. D'après les inscriptions antiques gravées sur des os et des carapaces de la dynastie des Shang (environ de XVIIe au XIe siècle

La femme au foyer est en train de préparer le dîner de fête pour sa famille. (Photo prise en 1980, fournie par le département des photos de l'Agence de Presse Xinhua)

avant Jésus-Christ), l'image du caractère « su » décrit des sièges (xi) placés à l'intérieur des maisons sur lesquels des gens sont assis. Le caractère « xi », est le pictogramme qui montre que les Chinois à cette époque-là étaient assis par terre. La plupart des sièges étaient en forme rectangulaire ou carrée avec les tailles et les longueurs différentes. Les sièges les plus longs pourraient être partagés par plusieurs personnes alors que les plus courts ne peuvent être utilisés ensemble que par deux personnes. Ceux qui sont carrés ont été appelés « du zuo » (siège unique), réservés aux personnes les plus âgées ou aux personnes à haut statut social. Selon les besoins, la natte simple ou les petites nattes aux multi-niveaux peuvent être mises en place pour distinguer le statut des personnes par le nombre de nattes sur lesquelles elle est assise. Il existe une norme protocolaire stricte concernant les sièges. Les vieillards et les jeunes, ou le vulgaire et le noble, ne peuvent pas s'asseoir ensemble. D'après les livres historiques, il existait la situation qu'on a brandi son épée

Scène montre que des femmes et des enfants mangent dans la maison d'un fonctionnaire dans le sud de la Chine à la fin du XIXᵉ siècle. (Dessinée par Wu Youru)

pour couper le siège en deux de manière à mettre fin à l'inapproprié de la situation des sièges humiliants après que quelqu'un avait brisé les convenances. Correspondant à son siège, chaque mangeur a une petite table et mange la portion servie individuellement. Cette coutume a été poursuivie jusqu'à la fin de la dynastie des Han de l'Est (206 avant Jésus-Christ-220 après Jésus-Christ). Dans un site de tombe de la dynastie des Han à Chengdu de la province du Sichuan sont découvertes des peintures de briques avec des scènes de banquet où les gens assis en groupes de deux ou trois personnes étaient devant les tables. Ces peintures dépeignent la vie des gens pendant cette période-là.

Les habitudes de manger individuellement des anciens Chinois lient étroitement aux leurs ustensiles de table. Sous la dynastie des Tang (618-907), la situation a commencé à changer. Les meubles tels que les tables aux longues jambes et les bancs sont apparus. Sur la peinture murale de la dynastie des Tang dans la grotte N°473 à Dunhuang, on peut voir les scènes à l'intérieur d'une tente, où se trouve une longue table dont les quatre côtés sont couverts de la nape. Sur la table se placent les ustensiles tels que les cuillères, les baguettes, les tasses, les assiettes et ainsi de suite. Il y a deux bancs longs installés respectivement aux deux côtés de la table. Un certain nombre d'hommes et de femmes y sont assis. Des tables hautes et de grands sièges pour les repas ont progressivement remplacé les sièges sur lesquels on est assis par terre. La pratique de s'asseoir sur des tabourets ronds ou des chaises hautes dans une posture naturelle tout en partageant une table pleine de nourritures savoureuses, est devenue graduellement une coutume générale, soit les habitudes alimentaires les plus représentatives des Chinois d'aujourd'hui. On peut dire que l'émergence de manger en commun en partageant les nourritures et des coutumes protocolaires corrélatives est sur la base de changements des ustensiles dans la salle à manger.

Partager les plats délicieux avec les parents et les amis autour d'une même table, pour les Chinois, est une atmosphère

Elever le plateau au niveau des sourcils (le comportement poli entre mari et femme)

Avec les développements des rituels sociaux, les Chinois ont commencé à utiliser les petits plateaux pour contenir les aliments en portions individuelles. Après au moins 3000 ans de développement, enfin sous la dynastie des Tang est né le système de partager les repas ensemble au sens moderne. Sur le sujet de prendre les aliments en portions individuelles, il concerne une locution. D'après *les Biographies des Reclus* dans *l'Histoire de la dynastie des Han*, le reclus Liang Hong, après avoir fini ses études dans le Taixue (Université Nationale), a abandonné sa carrière officielle et est rentré dans son pays natal et y a épousé Meng Guang. Avec elle, il est allé au comté Wu (maintenant Suzhou), où il a gagné sa vie comme mercenaire. Quand il est revenu de son travail chaque jour, Meng Guang a déjà préparé le repas pour lui, et elle a soulevé le plateau de nourriture jusqu'au niveau de son front et l'a servi avec un profond respect. L'habitude d'élever le plateau au niveau de ses sourcils de Meng Guang est devenue la belle histoire de faire allusion au respect réciproque et à l'affection mutuelle de mari et de femme.

chaleureuse et harmonieuse. Cela peut être en relation avec l'idée traditionnelle que les Chinois font une grande attention aux liens du sang et de parenté. De plus, la culture traditionnelle chinoise met l'accent sur « he » (l'harmonie). Lors de manger en partageant la table, c'est un moyen important pour mieux se connaître et se communiquer. C'est pourquoi les Chinois préfèrent s'entretenir des affaires à table des banquets. Alors que selon les gourmets le souci de la façon des aliments servis individuellement concerne la préservation de la gastronomie esthétique. Par exemple, un poisson entier à la vapeur, avec la couleur, le goût et l'arôme alléchants, comment est-ce qu'on le divise en portions individuelles? Qui prend la tête et qui reçoit la queue? C'est certainement un dilemme. Il n'est pas étonnant que certains gourmets s'inquiètent. Si la Chine revient à la façon des portions individuelles de la nourriture, elle bouleverserait la bonne tradition culinaire de la Chine et ferait perdre certains avantages spéciaux.

Ces dernières années, des buffets, ainsi que fast-foods chinois ou occidentaux sont de plus en plus populaires, la façon de prendre individuellement sa propre portion des nourritures est naturellement entrée dans la vie quotidienne des Chinois urbains. Et avec la multiplication des communications internationales, les banquets de haut niveau ont universellement adopté la pratique de portions individuelles, mais avec une atmosphère de manger en commun.

Lors de manger individuellement ou de partager ensemble les repas, la cuisine chinoise fait attention à l'assortiment des plats de légumes et de viande, et il y a un bon ordre de servir des plats chauds et froids, et salés et sucrés. Au banquet officiel, on fait grand cas de l'ordre de commander et servir les plats. Dans le passé, Les restaurants les plus exigeants avaient leurs systèmes spéciaux des genres de plats. Prenons l'exemple du banquet standard des grandes tables du nord de la Chine, en générale sont servis premièrement les quatre plats froids dont la plupart contiennent de la viande ou des fruits de mer pour accompagner le vin ou l'alcool, et s'il y a plus de buveurs, huit plats froids sont souvent commandés au lieu de quatre. Ensuite quatre plats chauds sont servis avec une plus grande quantité que celles des plats froids et avec une préférence pour tout ce qui est frais, de saison et n'est pas trop gras. Puis quatre bols de plats braisés, avec beaucoup de sauce ou jus de viande, qui tiennent les plats au chaud et stimulent l'appétit. Puis ce sont les principaux plats délicieux qui sont souvent préparés avec les rares gibiers de montagne et fruits de mer, et les saveurs et les techniques culinaires sont merveilleuses grâce au talent du chef. Les ustensiles pour ces plats ne sont pas ordinaires, dans les temps anciens c'étaient souvent les vastes bols contenant les quantités énormes. Après les plats principaux, c'est le tour des desserts, y compris des plats sucrés, des sucreries, de la bouillie ou du riz. A la fin ce sont de la soupe et des fruits. Si le repas est du style cantonais, il commence par la soupe. De nos jours, cette ordonnance n'est respectée qu'au banquet officiel.

Le goût de la cuisine familiale

Les trois repas quotidiens dont bénéficient les familles chinoises sont ce que nous appelons la cuisine familiale. La plupart des ingrédients de la cuisine familiale viennent de l'épicerie ordinaire et varient selon la saison. En général, la cuisine familiale n'est pas catégorisée selon les styles de cuisine. Toutefois, le fait que la Chine a un territoire étendu et des produits et des habitudes de vie différents dans chaque zone, cela crée objectivement les différents goûts de cuisine dans chaque région.

Généralement, le dîner est le repas auquel les Chinois attachent plus d'importance, alors que le petit déjeuner est le plus simple. Sur la table de petit déjeuner des Chinois, la nourriture la plus vue est le pain farci ou le pain cuit à la vapeur avec un bol de bouillie et un plat de légumes marinés; nous pourrions également voir le wonton, la soupe chaude aux nouilles, du riz et des plats sautés. Bien que la « baguette frite chinoise » et le lait de soja soient des éléments du petit déjeuner standard, peu de familles les font à la maison, il faut généralement les acheter dans des magasins de petit déjeuner. Du lait, du gruau d'avoine, du pain, des œufs et du jambon ne sont plus rares chez des citadins. Les œufs et le fromage de soja sont la source générale de protéines dans le petit déjeuner et sont faciles à préparer. Pour le déjeuner et le dîner, à part le riz et les pâtes, il y a aussi des légumes sautés, de la soupe et de la bouillie pour les compléter. La préparation des aliments à la maison est habituellement réalisée par la femme au foyer. Mais dans les familles où le couple travaille tous les deux, il n'est pas étranger de voir un homme faire la cuisine.

Différente de l'Occidental, la majorité des ethnies chinoises dont les Han composent le principal ne prend pas beaucoup de breuvages laitiers chaque jour. Mais chez les ethnies minoritaires du Nord-Ouest, les produits laitiers sont une composante importante des aliments quotidiens.

Dans les zones où les pâtes et les pâtisseries sont les principales nourritures, on peut généralement utiliser la farine de blé, la farine de maïs, la farine de sorgho, la farine de soja, la farine de sarrasin ou la la farine d'avoine nue pour faire une grande variété de nourritures délicieuses. Selon les différentes préférences gustatives, les pâtes peuvent être sautées,

Les pâtes et les pâtisseries ont beaucoup de variétés et les formes sont comme les œuvres d'art. La photo montre une femme du Shandong qui prépare un repas pour sa famille. (Photo en 1980, fournie par le département des photos de l'Agence de Presse Xinhua)

frites, étuvées, cuites à la vapeur, braisées, mijotées et ainsi de suite. Dans le pays de pâtes chinoises, la province du Shanxi, il y a au moins 280 types de pâtes dans les livres de cuisine.

Pour les régions considérant le riz comme l'aliment principal, rien n'est plus fréquent qu'un pot plein de riz cuit à la vapeur partagé par toute la famille. Mais jour après jour, cela devient un peu monotone. Alors on a passé beaucoup de temps à trouver les différentes façons de cuisine et de combinaisons. Cuire à la vapeur, bouillir, sauter, rôtir, frire et mijoter, ces différentes façons de cuisine font naître les goûts et les saveurs différents. Dans la vie quotidienne, les Chinois ne prennent pas chaque jour les plats de viande excessive. Plus souvent, les légumes de saison bon marché sont le bon choix. Navet vert, navet blanc, radis et carottes sont vus dans tout le pays pendant toute l'année. Ils peuvent être mangés crus, cuits, sautés, marinés et ainsi de suite. « Les légumes verts », y compris le chou chinois, les épinards, le colza, le céleri, la ciboulette chinoise, la moutarde, sont ce dont on mange les feuilles et les tiges. Les façons les plus courantes pour cuisiner les légumes verts

Un marché aux légumes d'une rue de Shanghai des années 70 du siècle dernier. (Photo en 1978, fournie par le département des photos de l'Agence de Presse Xinhua)

Faire des légumes secs est une tradition pour les agriculteurs dans de nombreux endroits, qui existe jusqu'aujourd'hui. (Photo en 1961, fournie par le département des photos de l'Agence de Presse Xinhua)

sont de les mélanger froid avec la vinaigrette, sauter, et bouillir, et on peut aussi les sauter avec de petites quantités de viande ou d'œufs. Pour le fromage de soja, les manières les plus communes et les plus simples de le préparer sont de le mélanger froid avec de la sauce ou de le faire bouillir et puis le tremper dans la sauce de soja, l'huile de sésame ou d'autres sauces. Le fromage de soja qui est frit, cuit dans la soupe et étuvé avec des légumes est également très populaire. Dans tous les restaurants chinois du monde entier, *Mapo toufu*, le fromage de soja épicé, peut être trouvé. C'est facile à préparer, il faut le couper en dés, faire sauter avec le zanthoxylum, le poireau et l'ail dans la sauce de piment et la sauce de haricot noir, puis mélanger avec la viande hachée déjà sautée, ensuite ajouter un peu de fonds de cuisine, et enfin vous avez un plat tout à fait prêt. En plus du fromage de soja, d'autres types d'aliments faits de fèves qui sont de la même famille que le fromage de soja, sont également les ingrédients des plats familiaux à toutes les saisons de l'année.

La cuisine familiale attache de l'importance à la combinaison de viande et de légumes. Ce sont une assiette de légumes verts et une plaque de poisson. (Photo prise par Roy Dang, fournie par Imaginechina)

Les œufs sont la source majeure des protéines animales pour les Chinois. (Photo prise en 1959, fournie par le département des photos de l'Agence de Presse Xinhua)

Les Chinois classent en général les plats de viande en quatre catégories, ce sont du poulet, du canard, du poisson et de la viande. Le porc est la viande la plus courante pour la majorité des ethnies chinoises dont les Han composent le principal. Dans le passé, le porc est difficile à trouver, maintenant il est très courant et apprécié très souvent, donc les moyens de cuisiner le porc sont bien nombreux: le porc sauté, le porc mijoté dans la sauce, le porc bouilli, le porc deux fois cuit, le porc cuit à la vapeur avec la sauce et inversé dans l'assiette quand il est prêt, le porc cuit à la vapeur enrobé de poudre du riz, le porc cuit dans l'huile chaude et ainsi de suite. La plupart des familles peuvent faire ces plats. Pour la cuisine familiale de porc, beaucoup de gens aiment mariner d'avance le porc avec de l'amidon et la sauce d'épice afin qu'il soit plus tendre après avoir être sauté.

Depuis l'Antiquité, les Chinois ont considéré le poulet comme bonne chère et de la soupe de poulet comme boisson tonique. Le poulet peut être cuit à la vapeur ou à l'étuvée dans une soupe claire, mijoté avec la sauce de soja, bouilli, ou à l'étuvée au vin jaune etc., il existe plus d'une douzaine de façons de cuisiner. Seulement les recettes de poulet peuvent être compilées dans des livres épais. Par rapport au poulet, le canard a un prix beaucoup plus élevé dans le nord de la Chine. Les familles ordinaires du Nord cuisent rarement le canard, comme le célèbre canard laqué de Beijing, il doit être goûté dans les restaurants spéciaux. Les gens des provinces du Jiangsu et du Zhejiang sont les plus habiles dans la fabrication des plats de canard. Le canard salé et le pot au feu de canard y ne sont pas seulement les spécialités des restaurants, mais aussi les spécialités des femmes au foyer. Il existe aussi de

Les gens croient généralement la valeur nutritionnelle de la soupe de poulet. (Photo prise par Liu Jianming, fournie par la bibliothèque d'images de *Tourisme en Chine* de Hong Kong)

nombreuses façons de cuisiner le poisson. La plupart des poissons frais sont cuits à la vapeur ou mijotés dans une soupe claire. Ceux qui sont moins frais sont braisés dans la sauce de soja, ou avec la sauce de sucre et de vinaigre pour faire le poisson aigre-doux. Le bœuf et le mouton sont les principaux aliments pour les ethnies minoritaires de l'Ouest de la Chine. Ils les font le plus souvent griller ou rôtir. Mais dans la plupart des familles des Han, à part les façons comme rapide-frire, cuire dans la sauce de soja, ou mijoter, le moyen le plus populaire de préparer le bœuf et l'agneau n'est que le « rinçage » des tranches minces de viande, soit la fondue.

Il y a plusieurs façons de préparer le fromage de soja. Il peut être braisé dans la sauce de soja, ou cuit au goût piquant. (Photo prise par Roy Dang, fournie par Imagine china)

Il y a de petits plats faits des légumes, des haricots, des œufs ou de la viande marinés ou salés dans toutes les régions. Ces aliments destinés à prolonger le terme de stockage, occupent de moins en moins de place sur la table au fur et à mesure que les conditions de vie s'améliorent, mais ils sont devenus de savoureux mets appétissants.

Les aliments de saison

Les *jiaozi* (raviolis) sont un genre de nourriture avec une longue histoire. Les plus anciennes inscriptions sur les raviolis se trouvent dans les livres de la dynastie des Han. Dans les années 60 du XXe siècle, un bol en bois a été fouillé dans une tombe de la dynastie des Tang (618-907) dans la Région autonome ouïgoure du Xinjiang. Dans le bol ont été totalement conservés des raviolis qui sont donc les plus anciens raviolis trouvés jusqu'aujourd'hui.

Depuis les temps anciens, il y a toute une série de coutumes de manger des raviolis dans le bassin du

Les Fêtes et les Alimentations

Sous la dynastie des Qing, la dynastie féodale la plus proche de l'époque moderne, les fêtes les plus importantes célébrées dans tout le pays étaient celles énumérées ci-dessous. Les traditions alimentaires qui les ont liées ont encore les influences jusqu'à présent.

Nouvel An du calendrier lunaire -- raviolis, yuanxiao
Fête du Début du Printemps -- crêpes, salade
Fête des Bateaux-Dragon -- zongzi
Fête de la Mi-Automne --gâteaux de lune, fruits
Fête de Double Neuf -- vin du chrysanthème, gâteaux aux fleurs
Fête de Solstice d'hiver -- wonton

fleuve Jaune qui est le berceau des Han. A la veille du Nouvel An chinois (la Fête du Printemps) et le cinquième jour du premier mois du calendrier lunaire, le premier jour caniculaire (la deuxième ou la troisième décade du juillet) et le jour de solstice d'hiver (autour du 22 décembre), on mange des raviolis. Juste comme le vieil adage le dit : « Rien a un meilleur goût que les raviolis », les gens y adorent les raviolis. Pendant une longue période du passé, manger une fois des raviolis est le synonyme de « mettre du beurre dans les épinards ».

Sous les dynasties des Ming et des Qing, la coutume de manger des raviolis à la Fête du Printemps était déjà très populaire, surtout dans le Nord. Jusqu'à ce jour, faire et manger des raviolis lors de la Fête du Printemps est une activité indispensable pour chaque famille. Le réveillon du Nouvel An chinois, l'ensemble de la famille se trouve dans un cercle, pétrit la pâte, fait la farce, roule la croûte, enveloppe, pince et fait bouillir les raviolis, c'est vraiment un moment heureux. Ce repas de raviolis est différent de celui des autres fêtes tout au long de l'année. Les raviolis étant faits, les gens attendent l'horloge annonçant minuit avant de les manger. Les raviolis sont le premier repas de l'année. En chinois, des raviolis sont *jiaozi* signifiant « adieu au passé et féliciter le Nouvel An ». Les raviolis sont un aliment typique des fêtes et des réunions, ils constituent ainsi un repas folklorique chez toutes les familles chinoises.

Les trois façons de préparer les raviolis sont faire bouillir, cuire à la vapeur et frire. La farce est ce qui différencie les types de raviolis. Les plus populaires raviolis familiaux sont les raviolis avec la farce de porc. Le porc est haché, mélangé avec de l'huile de sésame, du poireau, du gingembre et de la sauce de soja. Juste avant d'être enveloppée, la farce est mélangée avec des légumes hachés et du sel. Certains préfèrent la farce de bœuf ou d'agneau haché. Mais la farce la plus raffinée serait le *sanxian* (littéralement les « trois viandes fraîches »), est la combinaison du concombre de mer, des crevettes et du porc. Pour faire de bons raviolis, la croûte a la moitié du mérite. La quantité de farine et celle d'eau doivent être dans une proportion convenable, la pâte doit être pétrie suffisamment et levée pendant quelques minutes pour atteindre la meilleure élasticité. Ainsi la croûte mince devrait être facilement pressée ensemble sans être perforée. Les raviolis faits de cette façon doivent être tendres, juteux, et glissants avec un arôme alléchant.

Faire des raviolis est un travail exigeant du temps et de l'énergie. Par conséquent ces dernières années, les croûtes et la farce des raviolis sont trouvées sur le marché. Les supermarchés approvisionnent les raviolis surgelés de toutes sortes et de toutes saveurs. Il n'est plus compliqué de prendre des raviolis.

Dans le sud de la Chine, généralement, le premier repas du Nouvel An n'est pas les raviolis. Au lieu de cela, il serait les boulettes de riz glutineux farcies, le gâteau de riz glutineux ou les nouilles. De nombreuses ethnies minoritaires de la Chine ont

Manger des raviolis lors du Nouvel An est une tradition dans de nombreuses familles du nord. (Photo en 1962, fournie par le département des photos de l'Agence de Presse Xinhua)

Peinture du Nouvel An *Célébration de la Fête des Lanternes* dépeint les scènes de fête d'allumer des pétards et de faire des yuanxiao des Chinois. (De la collection de Wang Shucun)

également la tradition de célébrer la Fête du Printemps, mais ils mangent leurs propres aliments festivals. Les Hui mangent des nouilles et de la viande mijotée le premier jour du premier mois lunaire. Les Yi prennent la « viande Tuo Tuo » et boivent le « vin Zhuan Zhuan ». L'ethnie zhuang aime prendre un grand gâteau de riz glutineux qui pèse plus de 2,5 kg (5,5 livres). Les Mongols s'assemblent autour du feu pour faire bouillir et manger des raviolis, mais doivent laisser rester beaucoup de vin et de viande en souhaitant l'année à venir pleine de prospérité.

L'ambiance festive du Nouvel An chinois dure deux semaines jusqu'au 15ᵉ jour du premier mois du calendrier lunaire qui est la Fête des Lanternes, une autre fête importante des Chinois. La nuit de la Fête des Lanternes sera la première nuit de pleine lune de l'année. Les rues principales et les ruelles étroites ornées de lanternes et de festons, les gens admirent les belles lanternes sur lesquelles sont placées les énigmes à deviner, et mangent des *yuanxiao* (les boulettes de riz glutineux farcies) que les gens du Sud

< Prenant la joie en admirant les lanternes à la Fête des Lanternes, le 15 du premier mois du calendrier lunaire. (Photo prise par Wang Ren, fournie par Imaginechina)

appellent *tangyuan*. L'ingrédient principal de *yuanxiao* est le riz glutineux qui est très gluant, et il faut le mâcher lentement et on ne peut pas manger trop une fois.

Les types de *yuanxiao* et les moyens d'en manger sont nombreux. Dans le nord, on roule la farce faite d' osmanthus, rose, graines de sésame et purée de haricots rouges dans la farine sèche du riz glutineux jusqu'à ce que la farce est couverte entièrement de la farine en prenant la forme d'une boule ronde. Ainsi, le *yuanxiao* est fait et le *yuanxiao* salé est très rare. Dans le sud, on fait les *tangyuan* en mettant la farce directement dans la pâte déjà formée, avec toutes les saveurs, comme le *tangyuan* sucré, salé, avec de la viande ou des légumes.

Un agriculteur avec les jambes du porc sur l'épaule rentre chez lui pour célébrer la Fête du Printemps. (Photo prise par Zhu Jian, fournie par la bibliothèque d'images de *Tourisme en Chine* de Hong Kong)

Le cinquième jour du cinquième mois du calendrier lunaire, les Chinois célèbrent la Fête des Bateaux-Dragon. Le *zongzi* (des gâteaux triangulaires de riz ou de millet glutineux, enveloppés de feuilles de roseau ou d'autres plantes) est l'aliment de cette fête. Cette coutume est répandue dans toutes les régions de la Chine. La fête des Bateaux-Dragon possède une histoire deux fois millénaires en Chine. Traditionnellement, les familles affichent une effigie de l'exorciste Zhong Kui, accrochent les calamus et les moxas à la maison. Les adultes boivent un genre de liqueur chinoise assaisonnée de réalgar tandis que les enfants portent un sachet à parfum qui leur permet de s'éloigner des mauvais esprits et apporte la fortune et le bonheur. À l'occasion de la fête des Bateaux-Dragons, le *zongzi* est l'aliment indispensable dans tout le pays et ses saveurs et formes varient du Nord au Sud. Les Chinois du Nord, aiment utiliser les jujubes, la purée des haricots, les fruits confits et

Zongzi avec la farce de viande. (Photo prise par SCMP, fournie par Imaginechina)

d'autres ingrédients de douceur comme la farce et la revêtir d'une épaisse couche de riz gluant et l'envelopper de feuilles de roseau en forme triangulaire. Dans le Sud, il y a aussi des *zongzi* farcis de purée des haricots, mais également ceux farcis de légumes, œufs et viande, avec les saveurs sucrées et salées, et leurs formes sont plus abondantes.

La deuxième importante fête traditionnelle est la Fête de la Mi-Automne(le quinzième jour du huitième mois du calendrier lunaire). Comme manger des *zongzi* à la fête des Bateaux-Dragon, des *tangyuan* à la Fête des Lanternes, prendre des gâteaux de lune à la Fête de la Mi-Automne est une tradition pour les Chinois du monde entier. En raison de sa forme ronde comme celle de la lune, le gâteau de lune symbolise la réunion. Chaque mi-automne, lorsque la pleine lune claire brille dans le ciel, tous les foyers se réunissent pour goûter les gâteaux de lune tout en admirant la lune pour jouir du bonheur de famille. Le gâteau de lune et le *zongzi* sont tous des desserts mais pas les repas principaux. Néanmoins, les gâteaux de lune peuvent être aux multiples saveurs. Il y a une douzaine de sortes de farce, y compris les cinq noix, la purée des graines de lotus, le jaune d'œuf, la purée des haricots, les graines de sésame, le jambon etc. Il y a de nombreuses saveurs, comme les gâteaux de lune sucrés, salés et doux, piquants. Le gâteau de lune traditionnel du style Beijing dont la façon de préparation est similaire à celle de gâteau aux sésames, a la croûte croustillante et délicieuse. Le gâteau de lune du style Suzhou a aussi une externe croûte croustillante composée de plusieurs couches minces, douces et tendres, et donne un goût agréable à la langue. Celui de style cantonais dont la peau ressemble à celui des Occidentaux, est connu pour ses farces exquises. Comme on aime offrir des gâteaux de lune comme les cadeaux aux parents ou aux amis avant le mi-automne, l'emballage des gâteaux de lune est de plus en plus raffiné ces dernières années.

A part les aliments les plus traditionnels des quatre grandes fêtes du calendrier chinois, il existe également certains aliments

Un immense panneau publicitaire pour les gâteaux de lune sur la rue pendant la Fête de la Mi-Automne. (Photo prise par Yang Xi, fournie par Imagechina)

folkloriques de saison avec les caractéristiques très intéressantes. Par exemple, dans certaines régions, le deuxième jour du deuxième mois du calendrier lunaire, les gens mangent des nouilles *Longxu* (en forme de la barbe de dragon). A la Fête de Qingming (Fête des morts, autour du 5 avril), il est interdit d'allumer un feu pour faire la cuisine et les gens devraient manger les nourritures froides. Le 15ᵉ jour du septième mois du calendrier lunaire est la Fête des Fantômes. Les gens offrent les figurines et les moutons de pâte aux ancêtres. La Fête de Double Neuf (le 9ᵉ jour du 9ᵉ mois du calendrier lunaire), il reste encore la coutume de manger des gâteaux *huagao* et de bénir les personnes âgées pour la longévité dans beaucoup de régions.

L'année va toucher sa fin. Le huitième jour du douzième mois du calendrier lunaire, les gens de toute la Chine ont la tradition de manger de la bouillie *laba* (bouillie de riz avec des haricots, noix et fruits secs), avec de légères variations dans la fabrication. Les gens du Nord préfèrent les divers genres de céréales et les haricots tandis que les gens du Sud aiment ajouter des racines de lotus, des graines de lotus, des châtaignes d'eau etc. Malgré les fabrications différentes du nord et du sud, les jujubes et les châtaignes sont indispensables. Le caractère chinois signifiant le jujube est 枣 (zao) qui a la même prononciation que celle de 早 (zao) signifiant « tôt ». Le caractère chinois signifiant la châtaigne est 栗 (li) qui a la même prononciation que celle de 力 (li) signifiant « la force». Avec *zao* et *li* ensemble, cela signifie « faire plus tôt des efforts pour assurer une bonne récolte ». Comme le niveau de vie s'améliore, les ingrédients de bouillie dans les familles ordinaires sont de plus en plus abondants et variés, y compris le noyau de pêche, l'amande, les graines de tournesol, la cacahuète, les graines de pin, les raisins secs et ainsi de suite. Ainsi la bouillie *laba* actuelle est plus délicieuse, raffinée et nutritionnelle. La meilleure bouillie *laba* a des effets thérapeutiques pour fortifier la rate, stimuler l'appétit, augmenter la force vitale, enrichir le sang et défendre du froid. Il s'agit d'un aliment tonique caractéristique d'hiver de la Chine.

Les coutumes alimentaires des ethnies minoritaires

La Chine est un grand pays avec de nombreuses ethnies. Sous les influences de l'environnement géographique, du climat, des ressources naturelles, des confessions religieuses, de l'histoire sociale et des autres facteurs, chaque ethnie minoritaire a formé ses propres coutumes alimentaires. Par exemple, les ethnies minoritaires qui s'appuient sur l'élevage ont l'habitude de manger du bœuf et de l'agneau et les produits laitiers et boire du thé au lait. Alors les ethnies minoritaires du Sud qui pratiquent l'agriculture ont généralement le riz pour aliment principal, et celles du Nord ont la pâte et les céréales pour aliment principal. Celles qui vivent dans un climat froid aiment manger l'ail, tandis que celles qui vivent dans les régions humides préfèrent les aliments piquants. L'ethnie hui et ouïghour croient en l'islam. Pour eux, il est interdit de manger du porc, de la viande d'animaux féroces et d'animaux morts. Les Tibétains influencés par le bouddhisme tibétain ne mangent pas de poisson. Si l'on ne connaît pas ces coutumes et les interdictions, des situations délicates et embarrassantes risquent d'avoir lieu au cours de la communication avec les ethnies minoritaires.

Beaucoup de gens ont entendu cette histoire, « Un voyageur sur un cheval avance péniblement dans les plaines infinies de la prairie mongole tout en portant un gigot d'agneau entier sur son dos. Au coucher du soleil, il voit une tente mongole, alors il descend de cheval afin de passer la nuit là-bas. Le maître de la tente met le gigot d'agneau de côté et va à sa propre bergerie et fait sortir un de ses propres agneaux pour régaler l'invité. Après le repas, l'invité et la famille du maître couchent dans la même tente. Lendemain, le maître salue le départ du voyageur et lui donne un nouveau gigot d'agneau. Le voyageur s'est aventuré loin dans les prairies, et chaque fois qu'il quitte une famille, il a toujours un gigot d'agneau sur le dos. Mais ce n'est pas le même gigot car il a été remplacé par le gigot frais un nombre de fois.

Cette histoire, elle doit être vraie. Les Mongols sont réputés chaleureux et accueillants, et l'agneau est l'aliment principal des Mongols pour régaler des visiteurs. Selon les coutumes locales, qui

Un mariage traditionnel de l'ethnie miao dans la province du Hainan (Photo prise par Gu Yue, fournie par Imagine china)

que soient les visiteurs, les parents éloignés, les proches voisins, les habitués ou les nouveaux amis, tous les invités seront régalés d'agneau abattu sur place. Le mouton est d'abord mené auprès l'invité et puis considéré par l'invité ; et il ne serait abattu qu'après l'accord de l'invité. C'est ce qu'on appelle « Demander l'invité avant l'abattage des moutons » et cela vise à montrer le respect pour l'invité. Parmi des moyens de manger de l'agneau, « l'agneau dont on se sert directement à la main » est le plus caractéristique et traditionnel des Mongols.

« L'agneau dont on se sert directement à la main » est l'agneau bouilli dans l'eau sans les assaisonnements. Après la cuisson, de gros morceaux d'agneau succulent et chaud, dégagent un arôme appétissant. Les Mongols locaux aiment manger avec un grand morceau de viande dans une main et le couper avec leurs poignards mongols dans l'autre main. A l'arrivée d'un invité d'honneur, un banquet avec un ensemble de l'agneau doit être préparé. C'est aussi dénommé « yang bei zi », où un agneau entier est mis à bouillir dans une casserole. Pour les gens du pays, il ne faut que 30 minutes de préparation. Après un coup de couteau sur la viande, le sang s'échappe. Si la fête est préparée pour les amis des Han, il faut encore plus de quinze minutes pour cuire la viande. La viande se marie parfaitement avec la boisson alcoolique. Les Mongols, les hommes ou les femmes sont de grands buveurs. Lors d'une fête, l'hôte emplit trois coupes en argent de vin, tient un *hada* blanc (une longue bande de soie blanche symbolisant la pureté, la loyauté et le respect) des deux mains, porte un toast au visiteur tout en chantant fort la chanson de toast pour montrer la sincérité. Selon les coutumes mongoles, l'invité devrait d'abord tremper le bout de son doigt du milieu de la main droite dans le vin, et puis donner une chiquenaude respectivement vers le ciel et vers la terre pour rendre hommage. Ensuite, il doit le boire d'un seul trait. Décliner trop la boisson, cela serait considéré comme un manque de sincérité.

Xizang, ou le Tibet, attire de plus en plus de touristes chinois et étrangers avec ses paysages montagneux et les coutumes locales uniques. La coutume des alimentations des Tibétains est également une attraction dont les voyageurs parlent avec entrain. Ceux qui ont été au Tibet auraient goûté certainement le thé au beurre. L'ethnie tibétaine sert le thé au beurre aux visiteurs. Le visiteur doit d'abord boire trois bols de thé. Si l'on n'en veut plus, alors on devra verser le marc de thé sur le terrain. Sinon l'hôte va continuer à persuader l'invité d'en prendre plus. Les aliments principaux des Tibétains sont la farine de l'orge du Tibet, le thé au beurre, la viande de bœuf et d'agneau, et les produits laitiers. La richesse d'une famille tibétaine ne dépend pas de sa réserve de la viande ou du lait mais plutôt des céréales, car la viande et le lait sont suffisants pour toutes les familles. En général les Tibétains ne mangent pas de cheval ni d'âne ni d'autres animaux appartenant à l'ordre des imparidigités, le poisson, le poulet, le canard, l'oie et d'autres volailles ne sont non plus sur leurs menus. Au lieu de cela, ils préfèrent la viande des animaux d'artiodactyle telle que le porc, le bœuf et l'agneau, en particulier le bœuf séché. Sur les hauts plateaux tibétains, la nourriture n'est pas facile à se moisir et s'altérer. Le bœuf séché visant à conserver la fraîcheur, est très populaire dans la région tibétaine. Chaque automne, les Tibétains coupent du bœuf frais en lanières, les cordent ensemble, ajoutent du sel, de la poudre de zanthoxylum, de la poudre de piment et de gingembre, et les suspendent pour sécher à un endroit frais et ventilé. La saveur est épicée, croustillante et douce, avec un arôme acide et alléchant.

La région sud-ouest de la Chine est l'une des principales concentrations des ethnies minoritaires. Il y a de nombreuses nationalités minoritaires dont les habitudes alimentaires sont également multiples et variées. Le climat humide ici rend les aliments au goût acide et piquant et les nourritures séchées, fumées et saumurées populaires dans ces regions.

L'ethnie yao qui se répartit dans les provinces du Yunnan, du Guangxi, du Hunan, du Jiangxi, du Guangdong et du Hainan ajoute souvent le maïs, le millet, la patate douce, le manioc, le taro et les haricots dans le riz ou la bouillie de riz. Comme ils travaillent souvent aux champs dans les montagnes, les aliments doivent être faciles à porter et à conserver. Par conséquent, le gâteau de riz gluant et le riz au tube de bambou qui ont à la fois les nourritures principales et les aliments complémentaires sont leurs préférences. Lors de travailler dans les champs, les Yao dînent sur place ensemble et partagent les plats emportés mais prennent leurs propres aliments principaux. Les Yao aiment l'alcool. Dans la plupart des familles, il y a des alcools de riz,

Une tibétaine prépare le thé au beurre. (Photo prise par Shi Bing, fournie par la bibliothèque d'images de *Tourisme en Chine* de Hong Kong)

de maïs et de patate douce. Boire de l'alcool deux ou trois fois chaque jour est très normal pour les Yao.

L'ethnie miao, qui se répartit dans les jonctions des provinces du Guizhou, du Hunan, du Hubei, du Sichuan, du Yunnan et du Guangxi, préfère généralement les plats au goût aigre et on a la soupe aigre dans chaque famille. La préparation de cette soupe est de mettre la bouillie du riz ou l'eau baignant le fromage de soja dans un pot en terre cuite pendant trois à cinq jours jusqu'à ce qu'elle fermente. Elle est utilisée pour cuire les viandes, les poissons, et les légumes. La conservation des alimentations est souvent réalisée par la façon de mariner pour faire des légumes, du poulet, du canard, du poisson et d'autres viandes aigres. Presque chaque famille a un « pot aigre » pour mariner des aliments. Les Miao

La scène de cérémonie funèbre des Baiku des Yao. (Photo prise par Xu Liyu, fournie par la bibliothèque d'images de *Tourisme en Chine* de Hong Kong)

Les jeunes filles des Mosuo doivent se tenir debout sur la graisse de porc, c'est pour célébrer son rite de l'entrée dans l'âge adulte. (Photo par Xuezhi Li, fournis par la bibliothèque d'images de *Tourisme en Chine* de Hong Kong)

ont une longue histoire de fabriquer des boissons alcoolisées. Il existe un ensemble très complet de processus technologiques de la fabrication de levure, de la fermentation, de la distillation, du coupage et du silotage.

L'ethnie dong de la province du Guizhou adore les aliments acides. Les choux chinois, les pousses de bambou, le porc et le poisson marinés sont vus dans chaque famille. Il y a un chant folklorique des Dong comme ça «L'homme ne doit pas être paresseux, la femme ne doit pas penser qu'à s'amuser. Celui-là travaille pour récolter le riz glutineux, celle-ci cuisine pour préparer le poisson mariné. Les montagnes regorgent de trésors pour les laborieux, et toutes les familles sont bien prévues des pots pleins d'aliments acides. » En outre, le pâté du canard mariné, les poissons et les gingembres marinés faits par les Dong sont tous très connus. Il est intéressant de conserver les poissons marinés. Les pots doivent être scellés pour la conservation souterraine en trois ans, parfois même sept ou huit ans avant de les desceller.

L'ethnie bai est celle qui attache la plus grande importance aux aliments des fêtes parmi tous les ethnies minoritaires dans la région sud-ouest. Presque toutes les fêtes possèdent plusieurs aliments corrélatifs. Les bonbons *ding-ding*, le thé aux riz glutineux et la hure sont pour la Fête du Printemps, les gâteaux cuits à la vapeur et les nouilles aux amidons des haricots pour la Fête du Troisième mois, les assortiments froids et la viande frite croustillante pour la Fête des Morts, la liqueur assaisonnée de réalgar pour la Fête des Bateaux-Dragon. Les différents types de bonbons et de sucreries sont indispensables pour la Fête du Flambeau. Pour la Fête de la Mi-Automne, c'est la galette blanche et la galette trempée dans l'eau-de-vie. L'agneau est une nourriture spéciale pour la Fête du Double Neuf. Il y a encore beaucoup plus de traditions alimentaires pour les fêtes des Bai. C'est vraiment une vie colorée et magnifique.

Les Zhuang ont la plus grande population parmi les minorités ethniques. Ils habitent principalement dans la province du Guangxi, avec également de petites populations dans la province du Yunnan, du Guangdong, du Guizhou et du Hunan. Les régions habitées des Zhuang sont riches en riz et en maïs qui sont naturellement leurs principales nourritures. Pour les Zhuang, il n'est interdit de manger aucune viande de volaille ou d'animaux. Les gens dans certaines régions préfèrent la viande de chien. Les Zhuang cuisent souvent le poulet, le canard, le poisson et les légumes à point, en les faisant sauter rapidement avant d'être servis pour conserver le goût frais. Le vin de riz est la boisson principale des Zhuang pour

Les femmes des Wa de la province du Yunnan pilent le riz. (Photo prise par Liao Guozhong, fournie par la bibliothèque d'images de *Tourisme en Chine* de Hong Kong)

Les étages supérieurs des maisons des Qiang sont utilisés pour le stockage des alimentations et des autres articles divers. (Photo prise par Ye Zhizhao, fournie par la bibliothèque d'images de *Tourisme en Chine* de Hong Kong)

Les hommes des Dong sont en train de déjeuner dans l'aire d'une grange. (Photo prise par Zeng Xianming, fournie par la bibliothèque d'images de *Tourisme en Chine* de Hong Kong)

accueillir les invités et célébrer les fêtes. Le vin de riz ajouté les entrailles des animaux forme respectivement le vin de vésicule biliaire de poulet, le vin d'abattis de poulet et le vin de foie de porc. A boire le vin d'abattis de poulet et le vin de foie de porc, il faut d'abord boire d'un seul trait la boisson et mâcher lentement les abattis de poulet ou le foie de porc restants dans la bouche qui peuvent à la fois désenivrer et être un plat.

Dans les trois provinces de la région nord-est de la Chine vivent également plusieurs ethnies minoritaires. L'ethnie coréenne est une représentante ici. Sa nourriture fait attention à la fraîcheur et à la saveur délicieuse, croustillante, piquante et tendre. Les ingrédients dans les plats coréens sont généralement les endroits les plus tendres des viandes fraîches. Ils sont souvent crus avec la marinade, marinés ou cuits dans les soupes. Les crudités de bœuf, les crudités de tripes de bœuf, et les darnes de poisson crues à la marinade sont les plats traditionnels des Coréens. Les légumes macérés dans la saumure sont célèbres depuis longtemps. Ses ingrédients sont bien simples, soit des légumes ordinaires, y compris le chou chinois, le navet, le piment, le gingembre et ainsi de suite. On ajoute du sel avant la cuisson. Le goût est agréable avec une âcreté des picotements et tous les cinq saveurs se présentent, aromatique, sucré, aigre, piquant et salé en même temps. Les aliments marinés des Coréens complètent parfaitement ceux des Han.

L'ethnie minoritaire hezhe qui vit dans les plaines Sanjiang dans la province du Heilongjiang est le seul groupe qui compte sur la chasse et utilise les traîneaux à chiens dans le nord de la Chine. Leur régime alimentaire est assez original. Les Hezhe gardent encore la tradition de manger des aliments crus aujourd'hui. Le plat le plus typique est « le poisson tué cru », soit le poisson cru mélangé avec des légumes rincés à l'eau bouillie, y compris les

Un jeune homme ouïgour grille des kebabs d'agneau (Photo prise par Frederic J. Brown, fournie par *Imaginechina*)

fils de pommes de terre, les germes d'ambérique et le poireau, et de l'huile de piment, du vinaigre, du sel et de la sauce de soja. Il donne un goût frais, tendre et délicieux. Dans les montagnes Daxing'anling vivent l'ethnie elunchun et l'ethnie ewenke. Etant au milieu du « parc animalier naturel », elles gardent la tradition originaire de l'alimentation de « consommer de la viande et du lait ». Elles peuvent souvent prendre du lait et de la viande de cerf, de la viande de chevreuil, de lièvre de neige, de faisan et des autres animaux sauvages qui sont déjà des mets extrêmement rares et précieux dans la partie intérieure de la Chine.

L'ethnie hui qui croit en l'islam peut être trouvée dans tout le pays. Les Hui se mélangent avec les Han, mais gardent leurs uniques habitudes alimentaires où qu'ils aillent. Le riz et les pâtes sont leurs principaux aliments. Ils préfèrent les produits des pâtes tels que les pains cuits à la vapeur, les crêpes, les petits pains farcis, les raviolis, les nouilles à soupe, et les nouilles mélangées avec la sauce et les garnitures. Par rapport aux Han, le plus grand tabou alimentaire des Hui est la viande de porc. Ils ne mangent jamais de chien, de cheval, d'âne, de poissons sans écailles ni de viande des animaux qui n'ont pas été abattus, mais morts à cause des autres facteurs. L'alcool est également strictement interdit. Comme les tabous sont strictement appliqués, dans les villes, les Hui ont leurs propres restaurants musulmans, afin d'éviter de dîner avec d'autres personnes non-musulmanes. Par conséquent, les nourritures musulmanes des Hui sont uniques parmi les aliments des nombreuses minorités ethniques. Ainsi sont nés beaucoup de plats et restaurants musulmans très connus. Les plats tels que « trois trésors sautés », « l'agneau cuit à la vapeur », « l'agneau mijoté dans une sauce jaune » et « les nerfs d'agneau » sont tous les mets typiques. Les restaurants musulmans tels que Donglaishun, Hongbinlou et Kaorouji sont tous très célèbre en Chine et même sur la scène internationale. Autant dire que le développement de l'alimentation musulmane des Hui a donné une grande influence sur le régime alimentaire des Chinois et les arts culinaires de la Chine.

Les étiquettes à table

La Chine est toujours reconnue comme « Etat d'étiquettes ». Selon les documents historiques, il y a 2600 ans, cette nation a déjà établi un système très complet des étiquettes alimentaires. Les Chinois antiques devaient prévoir les sièges suffisants pour les invités lors d'un banquet. Pour un grand nombre d'invités, il faut préparer les sièges particuliers pour les personnes âgées ou les personnes de haut statut. Parfois partageant le même siège avec les autres, les personnes importantes doivent s'asseoir à la tête du siège. Pour les sièges disposés avec une orientation nord-sud, les sièges d'honneur sont ceux de l'ouest. Quant aux sièges est-ouest, les sièges d'honneur se trouvent au nord. Les gens assis sur le même siège doivent avoir un statut comparable, sinon il est considéré comme irrespectueux. Avant d'être assis, les invités doivent observer si les sièges et les tableaux sont correctement orientés et alignés, sinon ils doivent les régler avant de se mettre à table. Autrement il serait considéré comme malheur. De plus, l'hôte ou l'invité, il leur faut une expression sereine sur le visage, et lever les manches longues avec deux mains jusqu'à environ un *chi* (unité de mesure de longueur chinoise qui équivaut à un tiers d'un mètre) du sol lors de prendre un siège. Les invités déjà assis, leurs vestes ne doivent jamais être levées et les pieds ne doivent pas se déplacer trop librement.

Un écrivain russe célèbre du XIXe siècle, Anton Tchekhov, a invité une fois un homme chinois à boire un verre dans un bar. Tchekhov a dit: «Avant de boire, il levait sa coupe vers le propriétaire, les garçons de taverne et moi, en disant : « qing » (s'il vous plaît).

La vertu et cinq choses à méditer en mangeant

Bien que les Chinois ne disent pas le bénédicité avant les repas, ils ont une tradition d'utiliser les temps de repas de s'examiner et de réfléchir sur des mots et des conduites. Presque dès qu'un enfant commence à parler, les adultes lui apprennent à réciter les paroles du vieux poème « Pour chaque grain des aliments dans le plat, qui sait la peine qu'on a souffert derrière tout cela ? ». Le livre « cinq choses à méditer en mangeant » écrit par Huang Tingjian sous la dynastie des Song du Nord est encore utilisé comme critères modèles de s'exprimer par certaines personnes. Les cinq choses sont les suivantes :
1) Lorsque vous mangez ou buvez, il faut comprendre que ces choses sont précieuses et elles ne sont pas faciles à obtenir; 2) Demandez-vous si votre propre comportement a été suffisamment bon pour jouir de la nourriture que vous prenez, et si vous avez des lacunes, vous devrez sentir honte - vous ne pouvez pas être avide 3) pour la meilleure amélioration de votre corps et de l'esprit, vous devriez éviter de la cupidité, la colère et la passion aveugle. 4) vous devez connaître les effets nutritifs des céréales et des légumes, et comprendre des liens de l'alimentation et de la santé et utiliser cette compréhension pour guider votre pratique; 5) Assurez-vous qu'en aucun cas vous avez de grandes ambitions et des idéaux et faites des contributions afin d'être digne de jouir des nourritures que vous consommez.

Les mariages des habitants des villes chinoises sont généralement tenus en combinaison de styles chinois et occidentaux. Le marié et la mariée proposent les toasts aux invités l'un après l'autre. (Photo prise par: Liu Liqun, fournie par *Imagechina*)

C'est la coutume de la Chine. Il n'est pas comme nous qui buvons dans un seul trait, mais préfère siroter peu à peu. A chaque gorgée, il mangeait de la nourriture. Ensuite il m'a donné quelques pièces de monnaie chinoises pour faire preuve de la gratitude. Il s'agit d'une nationalité bien polie ... » Cela était l'opinion donnée par un étranger sur les Chinois il y a deux siècles. Les formalités des banquets traditionnels de la Chine étaient nombreuses et fastidieuses, les banquets plus grands ont les formalités plus détaillées.

Ces étiquettes de conduite ont transmis jusqu'à nos jours et changé dans une certaine mesure. Dans les banquets formels, un tour de la courtoisie ne peut pas être évité avant que tous les participants ne prennent leurs sièges. Il existe toujours l'ordre des places. Habituellement, les sièges les plus honorables, pour les personnes âgées, les personnes de haut statue, l'hôte ou l'invité le plus précieux de l'hôte, se trouvent au nord et face au sud ou directement en face de la porte d'entrée de la salle. L'ordre de

Rituels sacrificiels copieux dans la province du Shaanxi. (Photo prise par Yang Yankang, fournie par la bibliothèque d'images de *Tourisme en Chine* de Hong Kong)

se mettre à table donne généralement la priorité aux personnes âgées. Ensuite les personnes mariées sont prioritaires lorsqu'elles partagent la table avec les célibataires, et les invités peu intimes prennent la place avant les amis familiers. Mais selon le sujet des banquets, l'ordre de prendre la place est un peu différent. A l'anniversaire d'une personne âgée, le « siège d'honneur » appartient à celle-là. Ses fils et ses filles s'assoient à ses deux côtés ; soit les premiers sièges de l'est et de l'ouest. Pour la célébration d'un nouveau-né à son âge d'un mois, dans de nombreuses régions de la Chine, le « siège d'honneur » est réservé pour la grand-mère maternelle de l'enfant. En ce qui concerne les banquets de mariage, le « siège d'honneur » est pour l'oncle (frère de la mère) de la mariée.

Les Chinois ne préconisent pas la consommation de l'alcool lors de chaque repas à la maison. Mais dans un banquet, les boissons alcoolisées sont indispensables. Après que les invités ont déjà pris la place, l'hôte doit proposer un toast aux invités tout en disant

Respecter les personnes âgées et prendre soin des enfants sont des vertus traditionnelles chinoises. Une table à manger carrée donne aux gens l'impression de la forte liaison. (Photo prise en 1960, fournie par le département des photos de l'Agence de Presse Xinhua)

« premier verre pour montrer du respect », puis l'hôte et les invités tous boivent. L'hôte ou l'invité, il faut remplir son verre. Pour ceux qui se privent d'alcool, il serait judicieux de le déclarer d'avance afin d'éviter des situations délicates.

Il y a également un ensemble d'étiquettes pour servir des plats. Les plats avec l'os sont placés sur le côté gauche de la table, et les plats avec la viande sont à droite. Le riz et les pâtes sont sur le côté gauche tandis que les soupes, l'alcool et les boissons à droite. Les viandes rôties devraient être placées plus loin des gens, mais les assaisonnements y compris le vinaigre, la sauce de soja, le poireau et l'ail à proximité. L'ordre de servir les plats est du froid au chaud. Les plats chauds doivent être servis à partir du côté gauche du siège en face de l'invité principal.

Lorsque vous mangez, il faut respecter les règles, soit « avoir de bonnes manières de manger ». Par exemple, il ne faut pas mettre les baguettes à la verticale au centre du bol de riz. Lorsque vous avez terminé le repas, il ne faut pas dire : « je l'ai fini », mais vous devriez plutôt dire, « j'ai bien mangé » ou « je suis plein ». Évitez de faire des bruits avec les baguettes tapant sur le bol et ainsi de suite. Les Chinois auxquels on enseigne depuis l'enfance à « avoir de bonnes manières de se tenir debout, de s'asseoir et de manger », acceptent toutes sortes de formations sur « les bonnes manières de manger » : comment choisir des sièges; comment céder par courtoisie aux trois sortes de gens avec les priorités, comment tenir des baguettes, comment pincer de la nourriture avec des baguettes; quand on doit parler gaiement avec humour et quand il faut se taire, etc. En conséquence, même pour les enfants, dîner n'est pas une chose simple. Ils n'osent pas laisser rester les grains de riz dans le bol de peur d'avoir de petites viroles sur leurs visages quand ils grandiront. (C'est le prétexte de certains parents pour enseigner aux enfants à manger sans gaspiller aucun grain de riz). Il ne faut pas parler avec les autres ou indiquer les autres avec les baguettes en mangeant. Lors de pincer les aliments avec des baguettes, on ne peut pas en prendre trop une fois, non plus la prendre fréquemment ou remuer les nourritures dans les plats. Il ne faut pas faire de bruit dans la bouche ou dévorer goulûment lors de boire de la soupe ou manger des aliments. « De bonnes manières de manger » sont appréciées par les Chinois, en particulier par les générations âgées.

Les modernes, en particulier les jeunes, estiment probablement que ces formalités trop fastidieuses restreignent la liberté. Bien que les étiquettes soient fastidieuses, c'est dans les circonstances formelles que les gens respecter les formalités afin que un banquet puisse procéder par ordre, et que les hôtes et les invités puissent communiquer leurs sentiments et leurs pensées.

Équilibrer les cinq saveurs

Si l'avis que les alimentations visent à améliorer la santé et que l'élément le plus important de l'alimentation est la nutrition

Connaître les saveurs

Les Chinois utilisent le terme «les cinq goûts» pour désigner le sucré, l'aigre, l'amertume, le pimenté, et le salé des nourritures, et ce sont les cinq saveurs de base. Ceux qui sont en bonne santé sont capables de faire la distinction entre ces cinq saveurs dans les aliments. L'ouvrage ancien « *invariable Milieu* » du Ve siècle avant Jésus-Christ estime que« tout le monde mange et boit, tandis que peu de gens connaissent les saveurs ». Ainsi, «la connaissance des saveurs» est l'expertise des gastronomes. Il y a quelques histoires de connaisseurs qui ont été particulièrement forts en la distinction entre les saveurs. Dans la période du pré-Qin, il y avait un chef appelé Yi Ya qui pourrait dire la différence entre les saveurs des eaux prises à partir de deux différents cours d'eau; il y avait un musicien aveugle nommé Kuang Shi, qui a découvert en dînant avec son roi par le goût de cuisine que le vieux bois avait été utilisé pour cuire le riz, et lorsque le roi vérifiait auprès de son chef, il a avoué que l'axe d'un char vieux avait en effet été utilisé comme carburant ;il y avait également un grand seigneur de la période Jin, Fu Lang, qui excellait en discrimination, il pouvait dire si le poulet qu'il mangeait a été élevé en plein air ou gardé dans une cage.

démontre une attitude pratique et scientifique, le fait que les Chinois donnent de l'importance à l'esthétique de la couleur, de l'arôme, du goût et de la forme des aliments, au raffinement des ustensiles de tables et à l'élégance de l'environnement manifeste un esprit artistique. Depuis longtemps, les Chinois préconisent la philosophie de « cinq saveurs en harmonie ». Les Chinois ont inventé des moyens pour une grande variété de goûts en utilisant les assaisonnements au cours de cuisine. Sur la base des «cinq saveurs», qui sont l'aigreur, la douceur, l'amertume, la pimenté et le salé, les plats peuvent évoluer dans plus de 500 goûts différents.

Parmi les « cinq saveurs », la saveur salée est la plus pure et la plus cruciale. Le sel est nécessaire pour accroître n'importe quel goût des aliments. Sans lui, il n'y a aucun plat exquis qui peut se présenter dans toute sa splendeur. Mais au point de vue de la santé, le sel ne doit pas être pris à l'excès. Les aliments trop salés nuisent la santé.

L'acidité est également un goût indispensable des alimentations, en particulier dans le nord de la Chine, où l'eau est dure avec une grande basicité. Alors afin d'aider à la digestion, le vinaigre est souvent utilisé dans la cuisine, et il pourrait aussi susciter l'appétit. L'acidité peut aussi neutraliser les odeurs de poisson et le gras. Dans les banquets avec de la graisse solide et des plats de viande, les plats aigres sont habituellement complétés. Il y a encore de nombreux genres d'acidité, non seulement les goûts aigres de prunes, des fruits et du vinaigre différents les uns des autres, même les différents types de vinaigre se distinguent par les zones, les différents ingrédients et les différentes techniques

Gravure de la dynastie des Jin, qui représente le processus général de production de sel sous la dynastie des Song.

de fabrication. Habituellement, les gens du Nord considèrent le vinaigre vieux fait dans la province du Shanxi comme orthodoxe, tandis que les habitants de la province du Jiangsu et du Zhejiang apprécient le vinaigre de riz de Zhenjiang. Le plus typique lieu où on consomme du vinaigre est la province du Shanxi. Beaucoup de familles y maîtrisent les techniques de fabrication du vinaigre à base de céréales et de fruits. Le vinaigre est indispensable pour chaque repas quotidien. Ce qui est très intéressant, c'est que dans la langue chinoise, le mot «vinaigre» est utilisé pour représenter les sentiments de jalousie entre les hommes et les femmes. Les argots, comme « manger du vinaigre » (être jaloux) et « le pot de vinaigre» (ceux qui sont jaloux), sont compris dans tout le pays. Il concerne sans toute la propre nature aigre de vinaigre.

La pimenté est la plus stimulante et la plus complexe des « cinq saveurs ». Parfois, nous utilisons les mots « brûlant » et « âcreté » ensemble pour définir le sentiment. En réalité, il y a de grandes différences entre le « brûlant » et l'« âcreté ». « Brûlant », sens du goût, est la stimulation de la langue, de la gorge et de la cavité

L'illustration d'achat de l'eau imprimée sur les boîtes d'allumettes au début du XXᵉ siècle. (Photo prise par Lu Zhongmin)

Des stands de légumes et des étaux de poissons peints sur des boîtes d'allumettes au début du XXᵉ siècle. (Photo fournie par Lu Zhongmin)

nasale. Au lieu de cela, « âcreté » n'est pas seulement un sens du goût car elle concerne aussi l'odorat. L'âcreté est principalement obtenue à partir du gingembre, tandis que la pimenté désigne habituellement les saveurs de poivre ou de piment. Comme le piment a été importé de l'étranger, il n'y avait pas la mention de « pimenté » dans la cuisine du première période de l'ancienne Chine, ce sentiment est généralisé par la mention d'« âcreté ». Le gingembre ne neutralise pas seulement l'odeur étrangère, mais il peut aussi faire ressortir le bon goût des poissons et des viandes. Ainsi, le gingembre est absolument nécessaire lors de préparer les poissons et les viandes. Il existe également des principes à utiliser les piments dans la cuisine. Nous ne devons pas chercher excessivement la pimenté forte, mais plutôt reposer sur la saveur naturelle et salée de la nourriture, de sorte que le goût chaud et épicé ne prenne pas le pas sur l'essentiel, riche en arômes et pas trop sec. En outre, l'ail, le poireau, le gingembre et les autres épices qui peuvent également tuer les bactéries, sont donc idéaux pour les plats froids.

L'amertume est rarement utilisée seule dans la cuisine, mais elle est un atout précieux. Lorsque vous préparez les viandes mijotées ou braisées, la peau d'orange sèche, le clou de girofle, l'amande et d'autres assaisonnements avec une légère saveur amère peuvent être ajoutés pour débarrasser la viande de ses odeurs désagréables, et éveiller le fumet. D'après la théorie de médecine traditionnelle chinoise, l'amertume est bonne pour l'estomac et la sécrétion de salive. Certains adorent le goût amer des aliments, comme dans la cuisine du Sichuan le « goût étranger » d'aliments ayant l'élément amer.

La douceur a l'effet d'amortir les autres saveurs de base. Si la salinité, l'acidité, l'âcreté et l'amertume sont trop forte, la douceur peut être utilisée pour les assortir. Lors de préparer les plats à d'autres goûts, le sucre peut améliorer la saveur et embellir la couleur des plats. Cependant, l'utilisation de grandes quantités de sucre n'est pas recommandée, car trop de sucre peut être nauséabond. Puisque de nombreuses épices peuvent produire une saveur douce mais chacune a un goût tout à fait différent, l'univers culinaire considère généralement la saveur du sucre de canne comme la douceur orthodoxe.

Ce qui ne figure pas dans le « cinq saveurs », mais occupe toujours une place importante dans le monde culinaire, c'est « la saveur fraîche ». Le mot « saveur fraîche et délicieuse » est utilisé pour définir le meilleur goût des aliments. La plupart des aliments contiennent cette saveur fraîche, et ils sont souvent cuits dans la soupe pour éveiller le goût frais. Le poulet, le porc, le bœuf, le poisson et les côtes peuvent tous être les éléments utilisés comme

Cette peinture folklorique de la dynastie des Qing représente un vendeur de fromage de soja. La nourriture est mise à la charge arrière, tandis qu'un panier en bois avec une planche de bois sont en face, sur la planche il y a des bols, des cuillères et des assaisonnements. (fournie par Wang Shucun)

base de soupe. Lorsque l'odeur désagréable est éliminée au cours de la cuisson de soupe, la saveur fraîche est parfaitement éveillée après avoir ajouté juste un peu de sel. La soupe fraîche est non seulement consommée directement mais peut aussi être utilisée pour cuisiner d'autres aliments sans goût ou avec un goût léger. Ces aliments comprennent l'aileron de requin, le concombre de mer, le nid de salangane, le fromage du soja et le gluten, qui doivent tous être cuits dans la soupe fraîche pour avoir un goût délicieux. La saveur fraîche produite par le glutamate de sodium (GMS) qui est artificiel synthétique ne peut pas être comparée avec celle de la soupe fraîche faite naturellement. Alors les chefs compétents ne daignent pas de l'utiliser.

La cuisine chinoise brille par les assaisonnements. Il s'agit non seulement des techniques supérieures culinaires qui peuvent harmoniser les saveurs naturelles, mais aussi d'un nombre d'assaisonnements. A part le sel, le vinaigre, le sucre et la soupe fraîche, qui sont les assaisonnements représentatifs, la purée, la sauce de soja, le vin, les légumes salés, la sauce de soja noir, les caillebottes de soja fermenté, le fromage de soja puant sont tous les assaisonnements couramment utilisés dans la cuisine chinoise.

La purée des fèves fermentaires a été bien appréciée dans la Chine antique. Au début elle était la nourriture supérieure qui était indispensable lors du banquet pour les invités distingués. Chaque type de viande est accompagné par la purée correspondante. Les mangeurs d'expérience savent le genre de bonne chère qui sera servie tout à voir le type de purée. Plus tard, la purée est devenue un assaisonnement important, ainsi une série d'assaisonnements a été née, y compris la sauce de soja, la sauce de soja noir fermenté etc. Les assaisonnements à base de fèves sont une sauce spéciale de la Chine. Ils occupent une place importante dans l'histoire culinaire chinoise, ou même dans la culture culinaire du monde.

L'utilisation de vin pour assaisonner les plats est aussi une grande invention de la cuisine chinoise. Le vin peut enlever les odeurs désagréables de poisson et de viandes, et aussi produire

Des légumes de saison fournis dans le supermarché. (Photo prise par Shi Huiming, fournie par *Imaginechina*)

un arôme appétissant. Lorsque vous faites sauter un plat, ajouter un peu de vin de cuisine peut faire ressortir l'odeur délicieux de l'aliment avec le vin qui s'évapore, et la nourriture serait tendre et savoureuse.

Outre les Chinois, on ne sait pas s'il y a d'autres personnes dans ce monde qui aiment la nourriture avec une odeur puante. Le fromage des Occidentaux a probablement rapport avec l'odeur fétide, mais l'odeur puante du fromage est bien inférieure à celle du fromage de soja puant des Chinois. Le fromage de soja puant de la Chine a une odeur terrible, mais si l'on en prend une bouchée, il devient merveilleusement délicieux. Les fromages de soja puants produits dans le Nord et dans le Sud de la Chine ont de différentes saveurs et puanteurs. Celui du Nord est principalement utilisé comme assaisonnement, tandis que celui du Sud est un plat complet lui-même. À partir des ingredients à la fabrication, le processus est bien raffiné.

Les techniques culinaires chinoises sont un art du goût. Une monotone saveur donne un sentiment d'imperfection au goûteur. Ainsi, les cinq saveurs doivent être harmonisées pour se compléter l'une et l'autre, en laissant le goûteur un arrière-goût satisfaisant et éternel. Dans les pratiques de cuisine, le chef doit être souple dans les assaisonnements, non seulement pour répondre aux préférences des mangeurs et les caractéristiques saisonnières, mais aussi pour conserver la santé. Prenez le sel par exemple, pour une pleine table de plats, le premier plat à servir serait ajouté une quantité normale de sel. Ensuite, la quantité de sel est progressivement réduite dans les plats servis suivants. La soupe servie à la fin est habituellement dépourvue de sel. Bien sûr, les convives ne remarquent pas les différences subtiles et ne sentent que la nourriture qui est adaptée à leurs goûts. Les différents styles de cuisine utilisent toujours des ingrédients similaires, avec les méthodes de cuisson habituelles, y compris sauté, frit, cuit à la vapeur, faire bouillir et ainsi de suite. La principale différence réside dans les assaisonnements. C'est un art très subtil et délicat. Les portions, l'ordre et le calendrier (Avant, pendant ou après la cuisson) de différents assaisonnements, doivent être tout justes. Avant ou après, plus ou moins, il existe des différences subtiles mais également le principe. Trop tôt ou trop tard, trop et trop peu, tout ne serait pas bon. Quand les gens disent qu'ils aiment un certain plat, ce qu'ils veulent dire, c'est qu'ils aiment son goût.

Il n'y a pas de goût bien universel, et chacun ses goûts. Certaines personnes aiment les saveurs et les jus naturels, tels que les aliments au nature ou cuits à la vapeur, ainsi le poulet ou le canard doivent conserver sa saveur originale. Mais il y a aussi les gens qui aiment « les goûts étrangers » de poulet et de canard. Certains préfèrent les plats avec un goût fort, tandis que d'autres aiment les plats légers et doux.

Les Chinois modernes, en particulier les habitants urbains, tendent de plus en plus à un goût plus léger. La cuisine cantonaise, qui met l'accent sur le goût original et naturel et la saveur tendre et fraîche, répond à cette tendance croissante. En faisant la cuisine cantonaise, on n'utilise généralement pas le vinaigre et la sauce de soja forts, mais seulement de très petites quantités d'huile, de sel et de sucre sont ajoutées. Les plats s'appuient sur le goût frais et naturel de l'aliment afin de ne pas franchir le niveau parfait de l'assaisonnement. Ce genre de préférence gustative des Chinois urbains est probablement en rapport avec des améliorations du niveau de vie. Dans le passé, comme les alimentations étaient à court d'approvisionnement et la technologie de conserver la nourriture était limitée, on ne pouvait utiliser que les assaisonnements forts pour compenser le manque de fraîcheur des saveurs dans les aliments. Aujourd'hui, « la soupe corsée, le goût fort et l'huile excessive » ne sont plus les critères de définir le bon goût de plat.

En outre, en raison des différences de climats régionaux et d'habitudes et de coutumes, les préférences gustatives varient considérablement. Les Chinois ont aussi la tradition et la coutume pour assaisonner les aliments selon les saisons. Au printemps, lorsque toutes les plantes commencent à germer, les aliments sont les plus sensibles à la contamination bactérienne. Alors on prépare les aliments froids avec le vinaigre et l'ail écrasé qui peuvent lutter contre les bactéries. L'été permet d'accélérer le processus de déshydratation, ainsi les gens aiment manger les aliments basiques avec un léger goût amer, tels que le melon amer ou la moutarde en feuille. En automne, on doit prendre plus souvent les aliments riches en calories et les aliments chauds et épicés. En hiver, les aliments à haute teneur en calories avec un goût fort sont de bons compléments.

Equilibrer les cinq saveurs, donne la priorité au goût qui plaît directement à la langue, et à la fois favorise la santé et la régulation du corps. Selon les théories de médecine traditionnelle chinoise, l'âcreté peut réguler les fluides corporels (le sang et le qi), et peut être utilisée pour traiter le rhume, les douleurs osseuses et musculaires de froid, les problèmes rénaux et ainsi de suite. La douceur a l'effet de tonification et d'adoucissement et peut améliorer l'humeur. Le miel et les jujubes rouges sont aussi d'excellents aliments toniques pour ceux qui ont une santé fragile. L'acidité peut traiter la diarrhée et produire de la salive pour calmer la soif. Le vinaigre fumé peut prévenir le rhume, alors que les œufs bouillis dans du vinaigre peuvent soulager la toux. Toutes ces recettes populaires sont reconnues par la médecine moderne. L'amertume peut rafraîchir la chaleur dans le corps, améliorer la vision et éliminer la toxicité. Les cinq saveurs équilibres composent une partie importante pour la santé et la longévité.

Bref, l'équilibration des cinq saveurs devrait inclure les trois niveaux de sens. Tout d'abord, chaque plat doit avoir sa saveur unique. Mais pour une pleine table de plats, des saveurs différentes devraient se compléter mutuellement, de manière à réaliser l'équilibration dans l'ensemble. Deuxièmement, les quantités des assaisonnements doivent être justes. Les assaisonnements doivent exercer leurs propres charges pour rendre les saveurs des plats plus variées. Troisièmement, il ne faut pas mettre un accent particulier sur un aliment et en manger trop en ignorant les autres saveurs. L'« harmonie » est l'essence de la philosophie chinoise, ayant des significations multiples telles que « harmonieux », « paix » et « accord ». L'«harmonie »est également la plus haute transcendance de l'art culinaire chinois. Les « cinq goûts en harmonie » sont les reflets de l'esprit de chercher la modération, l'équilibration et l'harmonie, et d'attacher de l'importance à la nature des Chinois.

Les secrets des gourmandises

Dans la Chine ancienne, les gens qui travaillent comme cuisinier ont été appelés « pao ». Aujourd'hui, nous les appelons les chefs. Par rapport à la cuisine chinoise mondialement connue, ceux qui créent ces bonnes chères restent dans l'obscurité. Dans l'histoire chinoise, Peng Zu et Yi Yin sont très grands chefs. Le premier chef enregistré dans les documents historiques, Yi Yin (dates incertaines), a également été premier ministre de la dynastie des Shang. Il n'était pas seulement un homme d'érudition mais aussi un stratège de sanction militaire. En outre, ses superbes talents culinaires lui ont valu fermement la confiance de gouverneur de son époque. Chaque fois que les cérémonies cultuelles se tenaient dans les temples ancestraux,

Yi Yin expliquait au roi Shang en détail l'étude de l'alimentation. Il lui parlait des assaisonnements, de la cuisine et de toutes les gourmandises du monde, en les classant en différentes écoles. Saisissant cette occasion, Yi Yin intégrait de nombreux principes de gouverner l'Etat dans ses enseignements sur la nourriture, alors la population l'a reconnu pour «le dieu de la cuisine ». Dans les périodes suivantes, il y avait également de grands chefs, grâce aux excellentes aptitudes culinaires, qui ont acquis les honneurs et des salaires généreux. Mais après tout, c'est un rare bonheur. La plupart des « pao » étaient encore seulement les fonctionnaires au service de la noblesse.

Parmi les gens ordinaires de la Chine, les chefs sont toujours considérés comme profession respectée. Ils

« Ronger les racines des légumes pour encourager soi-même »

Les intellectuels antiques de la Chine préconisaient une vie simple. Ils pensaient que la vie matérielle modérée aidait à exercer la volonté et former les vertus même encourager les gens à faire des progrès. *L'essai sur les racines des légumes* écrit par Hong Yingming sous la dynastie des Ming a utilisé la citation « Si un homme ronge souvent les racines des légumes, il est capable de faire une centaine de choses ». L'essai décrit la philosophie de vie qu'on peut trouver en savourant les trois repas quodidiens, et il n'est pas seulement beaucoup aimé des lecteurs chinois de l'époque, mais aussi est devenu un ouvrage de vulgarisation au Japon et en Corée et dans d'autres pays de l'Asie.

Un fourneau de cuisine dans l'ancienne maison dans la province de l'Anhui. (Photo prise par Xu Xuezhe, fournie par la bibliothèque d'images de *Tourisme en Chine* de Hong Kong)

comptent sur leurs propres compétences excellentes pour vivre dans la société. Ceux qui servent le peuple sont les chefs dans les restaurants populaires. Dans la Chine ancienne, ils ont été appelés « shi chu » (chef dans la rue). Comme l'industrie des services alimentaires se développait, la division du travail des chefs devenait de plus en plus précise, qui a fait naître des titres nouveaux tels que chef de cuisine, chef de pâtisserie et ainsi de suite. La transmission de savoir-faire culinaire n'est plus à travers la forme singulière que un maître enseigne les techniques aux apprentis par ses paroles et en donnant soi-même l'exemple. Au lieu de cela, l'art culinaire est une spécialité importante de la formation et de l'éducation professionnelles modernes. La cuisine est maintenant enseignée dans des écoles professionnelles spécialisées où l'étudiant diplômé peut recevoir le *Certificat de qualification professionnelle de la République populaire de Chine*. Les étudiants de la spécialité de cuisine doivent non seulement acquérir des compétences culinaires, mais apprendre les connaissances nutritionnelles de base. La promotion en grade de chef nécessite d'autres tests professionnels.

Les femmes au foyer qui s'occupent de la cuisine ont été appelées « zhongkui » dans la Chine ancienne. Bien qu'elles ne soient pas considérées comme chefs, celles qui sont excellentes en cuisine peuvent souvent rendre les mangeurs baveux. Dans la Chine ancienne, la cuisine était l'étude obligatoire pour les femmes avant le mariage. Même si beaucoup de femmes modernes exercent un métier au lieu d'être femme au foyer, celles qui peuvent faire une pleine table de bons plats sont toujours le don béni et la fierté de la famille.

Parlant d'un groupe de personnes qui ont le plus contribué à la culture alimentaire chinoise, nous ne pouvons pas laisser de côté les connaisseurs et les juges des aliments, qui étaient des hommes de lettres et des fonctionnaires de la Chine ancienne. C'est grâce à leurs documentations que les techniques des chefs pourraient être transmises à travers les âges. Leur fin jugement esthétique et leur culture littéraire font les techniques culinaires chinoises entrer dans le monde de l'art. Parfois, ces grands hommes ont personnellement

Un chef faisant la cuisine dans un restaurant Qingzhen (musulman) (Photo prise par Li Bihui, fournie par la bibliothèque d'images de *Tourisme en Chine* de Hong Kong)

participé à l'invention des plats. Su Dongpo (1036-1101), grand écrivain de la dynastie des Song, était non seulement un gastronome, et sa création, le porc Dongpo est devenu un plat très apprécié et populaire. Poète de la dynastie des Qing, Yuan Mei (1716-1797) a relaté en détail dans son ouvrage, *Suiyuan Shidan*, 326 plats du XIVe siècle au XVIIIe siècle, y compris de rares gibiers de montagne et de superbes fruits de mer, tous les mets du nord et du sud. Ce travail a une valeur historique sur la documentation de la culture alimentaire chinoise. Avec les mots élégants de commentaires et les connaissances abondantes de cuisine, il a été considéré comme gourmet avec le meilleur goût. Cependant, traditionnellement, toutes les familles riches avaient leurs propres chefs pour prendre soin de repas quotidiens et de grands festins. Les banquets préparés par les familles riches n'avaient pas généralement lieu dans les restaurants mais plutôt à domicile. Alors, pour une famille, elle était fière de trouver et d'embaucher un chef de première classe. Dans un tel climat social répandu, les compétences du chef ont fait des progrès rapides.

Les compétences de cuisine de chef comprennent la préparation des ingrédients, la technique de coupe, le temps et le degré de cuisson et la méthode de cuisson. Dans la vie quotidienne, les ingrédients de base utilisés pour la cuisine comprennent quatre catégories: légumes, poissons et crevettes, viandes et œufs de volailles. L'art culinaire est principalement une combinaison adéquate et une cuisson juste des quatre catégories d'ingrédients avec les assaisonnements. La nourriture chinoise est différente de celle des Occidentaux. Par exemple, lorsqu'on commande un bifteck de la cuisine occidentale, le garçon doit demander « Frit ou rôti ? A quelle cuisson ? Bleu ? A point ? Bien cuit ? Très cuit ? ». Le chef prépare la nourriture tout à fait selon la demande de client et n'ajoute pas d'épices ou de condiments. Après que le bifteck est servi, le client ajoute du sel, du poivre, du jus de citron ou du ketchup totalement selon la préférence personnelle. La nourriture chinoise doit être commandée tout simplement avec l'aide du menu. Comment les plats sont préparés, frits ou sautés, bouillis ou cuits à la vapeur, crus ou bien cuits, ajouter du piment ou sans piment, tremper dans le vinaigre ou non, ajouter combien d'huile et combien de sel, sauf si le client fait une demande, tout serait laissé au chef. Ainsi le même plat préparé par le même chef n'aurait pas beaucoup de changements car la préparation n'est pas différente. Qui que soit le mangeur, le plat aurait essentiellement le même goût.

La combinaison des ingrédients est la compétence principale du chef chinois et la base pour faire les gourmandises. Les ingrédients doivent être raffinés et il faut tenir compte de la propriété originale (lieu d'origine, période de croissance,) de la combinaison de couleurs, des formes et des saveurs des ingrédients. Par exemple, le « canard laqué de Beijing », est habituellement faits avec canards d'origine de Beijing, pesant environ 2,5 kilos. La viande de canard trop grand est rigide mais celle de canard trop petit n'est pas suffisamment grasse et juteuse. Le plat « *tranches de porc sautées dans la sauce féculente* » est fait avec le filet de porc. Le plat « porc enrobé de poudre du riz enveloppé par les feuilles de lotus cuit à la vapeur » utilise le porc entrelardé. Le plat classique « œufs sautés avec des tomates » a une couleur magnifique avec le vif contraste entre le rouge et le jaune. En ce qui concerne la forme des aliments, les dés vont avec des dés, les fils avec des fils, pour garder la cohérence de goût. Quant à la saveur, tendre avec tendre, croustillant avec croustillant, flexible avec flexible, tels que le fromage de soja mijoté avec le poisson, les calmars sautés avec l'ail. Parfois, un traitement spécial des ingrédients doit être accordé selon les styles des plats tels que le plat célèbre de Hangzhou « le poisson de lac de l'ouest avec du vinaigre », qui utilise effectivement la carpe herbivore dans des lacs locaux à l'eau douce. Bien que le poisson soit délicieux, sa viande est lâche avec un léger arrière-goût de terre. Par conséquent, avant la cuisson, il doit être placé dans un panier spécial en bambou conçu pour le laisser vivre mais sans le nourrir dans deux jours, donc sa viande deviendrait tendre et pleine de saveur fraîche après la préparation.

Certainement, la combinaison des ingrédients de n'importe quel plat donne la priorité à la santé. Le navet peut dissiper l'excès de chaleur interne du corps, il est donc tout à fait approprié d'être préparé avec de l'agneau qui entraîne la chaleur du corps. Les épinards et les tomates contiennent relativement plus de substances acides. S'ils sont cuits avec le fromage de soja riche en calcium, ça va produire le sel de calcium, il sera défavorable à la digestion et à l'absorption.

Le degré de chaleur et le temps de cuisson sont ce que les Chinois appellent « *huo hou* » qui signifie littéralement le « degré de feu ». C'est le plus important élément dans la cuisine chinoise, et aussi le plus difficile à maîtriser. Le plat sauté nécessite une forte chaleur, sinon la nourriture serait molle. Quand on fait bouillir des aliments avec de l'eau, le

La cuisine chinoise attache une grande importance à *huohou* (la durée et le degré de chauffage). (Photo prise par Qu min, fournie par Imaginechina)

Les Dong dans la province du Guizhou appelaient la cuisinière « l'étang de feu » (Photo prise par Xie Guanghui, fournie par la bibliothèque d'images de *Tourisme en Chine* de Hong Kong)

feu modéré doit être utilisé. Si les nourritures sont chauffées à feu fort pendant une longue période, elles seront sèches et ratatinées. Lorsque vous faites les aliments frites, faites attention à ne pas cuire trop longtemps, sinon la nourriture sera brûlée et altérée. La cuisson des poissons exige le plus le degré de température et le temps de cuisson. Le meilleur poisson cuit, devrait être pur blanc et son sang se solidifierait sans se disperser. Pour certains aliments, plus longtemps vous les faites bouillir, plus tendres ils deviennent, comme les œufs et les reins des animaux. Alors que d'autres aliments deviendront immédiatement durs s'ils sont cuits avec une minute superflue, il s'agit notamment du poisson frais, des palourdes et des autres aliments d'eau douce. *Huo hou* qui change tout le temps peut être vraiment difficile pour un cuisinier sans de nombreuses années de pratique de cuisson. Par conséquent, le contrôle de degré de cuisson est un critère très important de la concurrence entre les chefs chinois. Si l'on veut devenir un grand chef, il faut notamment passer cette barrière. Les chefs expérimentés peuvent satisfaire à toutes les demandes sur le degré de cuisson et réaliser justement la combinaison des saveurs. Par exemple le foie de porc sauté, l'huile doit être chauffée à grand feu jusqu'à fumer, immédiatement on fait rapidement sauter le foie dans la casserole et puis ajoute l'amidon. Ensuite après seulement quelques coups de ballottement, le foie se fait. Si le feu n'est pas assez fort et la chaleur n'est pas suffisante, le foie sera trop dur. Vice versa, si le feu est trop fort et la casserole est trop chaude, le goût du foie sera également être affecté.

Huo hou, littéralement, signifie le degré et la durée de la combustion du carburant. Mais dans la cuisine, ce n'est pas tellement simple. Les ustensiles, les ingrédients de cuisine, ainsi que le matériau de conductivité de la chaleur concernent tous *huo hou*. Les gens modernes font la cuisine en utilisant le gaz naturel ou le poêle à gaz de charbon. Tandis que les gens anciens utilisaient les bois. C'est plus délicat. Les différents types de bois de chauffage produisent des goûts différents et ont des effets différents sur les aliments. Par exemple, l'utilisation de bois de mûrier pour cuire le vieux canard ou d'autres viandes va attendrir la viande plus rapidement et désempoisonner. Le fétu de riz utilisé pour cuire du riz, on dit qu'il peut apaiser les esprits. L'utilisation de paille de blé comme combustible peut étancher la soif et humidifier la gorge, et favoriser la miction. Le riz cuit en utilisant le bois de pin peut renforcer les muscles, les os, mais le bois de pin n'est pas adapté pour faire du thé, le thé exige le feu de charbon. L'utilisation du roseau peut améliorer la vision et désempoisonner. Si on fabrique des médicaments toniques, le roseau ou le bambou est le meilleur choix pour faire du feu. Toutes ces coutumes sont encore plus ou moins conservées dans certaines

Les chefs des restaurants se chargent de la cuisine avec une division précise du travail. (Photo prise par Tang Qinghua, fournie par la bibliothèque d'images de *Tourisme en Chine* de Hong Kong)

régions rurales, mais ce ne sont plus possibles dans les villes.

Cependant, les gens modernes ont plus de choix pour les ustensiles de cuisson. Pour le plat sauté, la force de feu et la chaleur doivent être concentrées, donc le wok à fond rond est parfait. La friture exige la régularité de chaleur, une poêle en fer devrait être convenable. Certains aliments mijotés doivent être cuits à feu doux, comme la poule mijotée, la soupe aux radis et aux côtelettes et la soupe de trémelle et de graines de lotus, les Chinois utilisent habituellement le pot en terre cuite pour les cuire.

Le travail de couteau se réfère à la manière d'un chef de couper les ingrédients. Les différences entre les techniques culinaires de l'Orient et de l'Occidental sont évidentes quand il s'agit de la coupe. Les chefs chinois coupent méticuleusement suivant les formes et les dimensions voulues avant la cuisson des aliments; dans les Occidentaux, la nourriture est généralement découpée par les mangeurs avec les couteaux et les fourchettes avant de manger. Il est évident que les chefs chinois accordent plus d'attention au travail de couteau qui est la compétence la plus digne de fierté sur la planche à découper. Pour les moyens de découper, il y en a plus de cent qui portent des noms, comme la coupe droite (découper les ingrédients avec le couteau perpendiculaire avec la planche à découper), la coupe horizontale (découper les ingrédients avec le couteau presque parallèle avec la planche à découper), la coupe inclinée (découper les ingrédients avec le couteau incliné avec la planche à découper) et la coupe sculptée (coupe multiple, mais en gardant les dessins décoratifs sur les ingrédients sans les couper entièrement), tous ne sont pas faciles à exécuter. Par exemple, le plat « fleur du rein sautée », c'est un plat très commun qui peut être préparé avec plus d'une douzaine de techniques de coupe. La « fleur du rein» peut être produite sous la forme d'un épi de blé, d'un litchi, du caractère chinois de «shou » (longévité), d'un peigne, d'une orchidée, d'une cape de pluie en paille et ainsi de suite. Avec des ingrédients différents, de différentes coupes sont exécutées. Comme le dit l'adage, « découper perpendiculairement du bœuf et découper parallèlement du poulet avec le sens des fibres

Un chef d'un restaurant Qingzhen (musulmans Hui) tend les nouilles. (Photo prise par Xie Guanghui, fournie par la bibliothèque d'images de *Tourisme en Chine* de Hong Kong)

de la viande». Les fibres de bœuf sont assez épaisses, et la coupe perpendiculaire avec la fibre musculaire rendra le bœuf plus facile à cuire. Tandis que le poulet dont les fibres de muscles sont plutôt minces doit être découpé avec la coupe parallèle le long de la direction des fibres afin de conserver la tendresse et le poli de poulet, sinon la viande ne sera pas capable de résister à toute l'agitation dans le wok, et deviendra des morceaux.

Le secret des nourritures bien cuites dépend des techniques. Les techniques de cuisine des Occidentaux sont simplement frire, bouillir, cuire ou rôtir. En comparaison, la cuisine chinoise utilise des techniques abondantes, comme faire sauter, frire rapidement, frire, braiser, mijoter, faire bouillir, cuire à la vapeur et ainsi de suite, y compris plus de vingt manières. Chaque technique a ses célèbres plats représentatifs. La technique la plus couramment utilisée est encore « faire sauter» (chao). Il est difficile pour les étrangers de comprendre le terme «sauté» désignant « frire en remuant constamment les plats ». Après tout, les Occidentaux n'ont

pas les « woks » spécialement consacrés à « faire sauter ».

La cuisine faite dans les familles ordinaires chinoises ne fait pas grand cas de la marmite, ustensile principal de cuisson. Le plus souvent, une marmite effectue les multiples fonctions, elle peut faire sauter les plats et faire de la soupe. Toutefois, pour un cuisinier professionnel, le wok spécial pour faire sauter doit être utilisé. Le wok a une poignée qui permet de le porter et de faire remuer la nourriture facilement. Remuer les aliments avec le wok peut assurer un mélange homogène et un degré égal de cuisson des ingrédients. Remuer les aliments avec le wok est aussi une technique très complexe qui possède une série de démarches enchaînées. Certains chefs remuent les nourritures avec le wok comme exercer l'acrobatie. Le wok levé, des tranches ou des dés colorés des nourritures chassent gracieusement dans l'air en prenant la forme d'un arc, et puis ils tombent par ordre dans le wok. Cet ensemble de techniques de « faire sauter » n'est pas exécutable avec une casserole plate, il est ainsi une autre habileté des chefs chinois.

Avant la dynastie des Han, les Chinois n'avaient pas développé la technique de « chao » (faire sauter). Les principales formes des nourritures à cette époque-là étaient les soupes, les ragoûts et les nourritures grillées sur le feu, bouillies et frites. Mais dès que la technique de « faire sauter » a été née, elle a dominé dans la cuisson en raison de l'acceptation populaire. Le mot «chao» est même devenu l'appellation générale pour toutes les formes de cuisson réalisée avec un wok, même si c'est frire, faire bouillir, ou cuire à la vapeur.

La couleur, l'arôme et la saveur sont les critères généraux que les Chinois utilisent pour évaluer la qualité des aliments. Seulement lorsque le plat est excellent dans tous les trois domaines, il est considéré comme plat bien fait. La technique de « faire sauter » peut atteindre ce but le plus facilement. « Faire sauter » n'est pas limité par la quantité et le type d'ingrédients; tout peut être mélangé et sauté dans le même plat. Cela crée de nombreuses possibilités de « couleur ». Les plats sautés demandent généralement de l'huile chaude et le feu fort. Faire sauter des ingrédients finement coupés dans le wok de chaleur, les épices s'infiltrent facilement dans les aliments, émanant l'arôme

< Les femmes mongoles font les petits pains cuits à la vapeur farcis de mouton dans une tente mongole. (Photo prise par Chen Xiuquan, fournie par la bibliothèque d'images de *Tourisme en Chine* de Hong Kong)

merveilleux. Surtout lorsque les ciboules hachées ou les ails hachés sont cuits comme aromatisant, l'arôme fort et agréable assaillit les narines. Faire sauter, est d'accord avec les avis des nutritionnistes. Comme il faut « faire sauter » très rapidement, il empêche la perte de valeur nutritive des aliments.

Détournez nos yeux sur le monde entier, on peut voir que tous les pays ou toutes les régions qui font grand cas de l'alimentation et sont excellents en cuisine, ont atteint des sommets dans le développement culturel à un certain moment dans l'histoire, en possédant une grande richesse sociale. Ce n'est que dans ces conditions qu'un pays peut avoir assez de temps et d'argent pour poursuivre le plaisir et la jouissance de la nourriture et développer des techniques de cuisson. Les techniques culinaires raffinées confèrent à la cuisine chinoise le goût et le charme uniques. Mais cet art de la cuisine relève actuellement un défi de notre époque. Comme l'industrie du traitement alimentaire devient mécanisée et automatisée, les semi-produits avec tous les ingrédients et les produits surgelés dans les supermarchés ont gagné des parts de marché et les batteries de cuisine électrique de plus en plus intelligentes sont émergées. Une grande partie de la cuisson dans la maison peut maintenant être réalisée par la procédure automatique. Il semble que les techniques de base de l'art de la cuisine chinoise occupent de moins en moins de place surtout face à ces aliments qui sont produits en grandes quantités. Néanmoins, avec les habitudes de vie, en particulier la poursuite de la couleur, de l'arôme et du goût des aliments, les Chinois sont destinés à poursuivre leur tradition alimentaire : « Il n'y a pas de raison de rejeter du riz sélectionné le plus soigneusement et de la viande hachée le plus finement ».

L'alimentation et la santé

Un autre esprit important ancré dans la culture alimentaire de la Chine est la gastrothérapie. La tradition de consommer les ingrédients médicamenteux comme les ingrédients de cuisine et prendre les médicaments à base des aliments existe depuis l'époque archaïque. Le dieu de l'agriculture dans les légendes chinoises, Shennong, ayant non seulement appris aux gens à cultiver des cultures, a également été le maître de la médecine « qui avait goûté des centaines d'espèces d'herbes ». Même si c'est une légende, il reflète une idée importante de la médecine traditionnelle chinoise : « l'alimentation et la médecine ont les mêmes racines », soit l'alimentation et la prévention et le traitement des maladies ont une liaison assez étroite.

Les Chinois attachent une importance particulière à la préservation de la santé et la longévité depuis les temps anciens. Le livre « Huangdi Neijing » a proposé pour la première fois une vue dialectique et globale sur l'alimentation. Lorsque l'alimentation est complète et diverse, les nutritions seront équilibrées. Les « cinq saveurs » équilibrées dans l'alimentation devraient également éviter qu'une saveur seule soit assez excessive pour faire du mal aux organes internes. S'appuyer sur l'alimentation quotidienne pour améliorer le physique et la santé et pour se défendre contre les

Un magasin qui vend des ailerons de requin à Guangzhou. (Photo prise par:Zhu Jie, fournie par la bibliothèque d'images de *Tourisme en Chine* de Hong Kong)

maladies est l'essence importante de la culture alimentaire chinoise. Par rapport à la médecine, la nourriture est de nature plus douce. Chaque type d'aliment contient des éléments «fins» qui peuvent exercer des effets différents sur le corps. Pour le même effet de soulager l'excès de chaleur dans le corps, les médecins chinois croient que les poires sont bienfaisantes pour les poumons, les bananes pour le rectum et les kiwis pour la vessie. Les goûts différents ont également des influences différentes sur le corps. Habituellement, l'aigreur pénètre dans le foie, l'âcreté pénètre dans les poumons, l'amertume dans le cœur, le salé dans les reins et la douceur dans la rate. Les différents éléments sont absorbés par les différents organes internes, et ont des effets différents sur le corps. Profiter des natures différentes et des éléments nutritionnels des aliments pour influencer le corps physique est une caractéristique unique de la culture alimentaire chinoise.

En plus, la méthode de prendre des aliments nourrissants pour rétablir la santé varie selon les saisons et les âges des hommes. Le printemps est la transition de la saison froide à la saison chaude, prendre des légumes à goût piquant peut faciliter la circulation de « qi » des cinq organes. En été, avec une forte humidité et chaleur, les boissons telles que la soupe d'ambérique, le jus de prune à l'aigre-doux, la soupe de bulbe de lis, le thé froid et ainsi de suite, ont l'effet de protéger les hommes contre les coups de chaleur. En automne l'air est sec, et il serait bénéfique de consommer des aliments qui peuvent humidifier les poumons, comme la poire, le kaki, l'olive, le navet, et la trémelle. Les Chinois préfèrent le navet car il est peu coûteux et a l'effet visible pour améliorer la santé. Le navet braisé avec les côtelettes ou mijoté avec de l'agneau ont tous des effets toniques. La châtaigne, l'igname de Chine et la paludine, sont aussi des aliments toniques de l'automne. L'hiver est le meilleur moment pour « tonifier le corps ». Les Chinois préfèrent prendre du poulet, des pieds de porc, du bœuf, de l'agneau, des longanes, des noix, des sésames et d'autres aliments riches en calories et graisses.

Pour les gens des âges différents, les principes de gastrothérapie

Le ginseng est un excellent tonique. (Photo prise par Feng Gang)

sont différents. Les personnes d'âge moyen éprouvent le tournant où le corps passe lentement du vigoureuse de la faiblesse. Ils ont besoin d'aliments toniques riches en énergie ainsi que les aliments anti-âge pour ralentir le processus de vieillissement. A cause de leur métabolisme lent, les personnes âgées devraient manger plus de volailles à deux pattes, de champignons à « jambe unique » et de poissons sans jambe au lieu des animaux à quatre pattes, comme le bœuf et le porc. Ces connaissances hygiéniques sont maîtrisées par de plus en plus de Chinois.

La gastrothérapie est toujours populaire en Chine. Il y a un dicton : « le médicament tonique n'est pas aussi bon que l'alimentation tonique et la nourriture fonctionne aussi bien que le médicament dans le traitement des maladies ». Le fait que les fruits et les légumes courants peuvent prévenir et guérir les maladies est connu par toutes les familles. Quand un membre de la famille qui a pris froid ou attrapé la grippe, on devait cuire la soupe en utilisant

Selon la saison, il existe de grandes différences lors de la consommation des aliments toniques. (Photo prise par Feng Gang)

plusieurs tranches de gingembre, quelques morceaux de ciboule blanche et la cassonade, puis le malade la boit chaude et dort sous des couvertures épaisses pour faire transpirer et le froid disparaîtra. La soupe du poulet nature, le millet jaune avec la cassonade et les graines de sésame sautées sont les premiers choix pour les femmes après l'accouchement en les aidant à restaurer rapidement l'énergie, soulager la chaleur pathogène et tonifier le vide de l'énergie.

L'aliment médicamenteux est fabriqué en mélangeant le médicament traditionnel chinois avec des aliments. Les espèces et le dosage sont strictement contrôlés. Il est différent de l'utilisation des aliments comme médicaments car les aliments médicaux se chargent principalement de faire les médicaments au goût désagréable de plats délicieux pour être plus faciles à prendre. La combinaison de la médecine et du repas forme une nouvelle espèce des aliments en prenant des propriétés de la médecine et le goût de la bonne chère. Cette thérapie a aussi poussé la gastrothérapie chinoise à entrer dans une nouvelle étape.

Les aliments médicamenteux populaires à cette époque incluent la bouillie, la pâtisserie, les ragoûts et les plats tels que le canard aux Cordyceps Sinensis, le poulet entier aux amandes de ginkgo, le poulet mijoté avec la racine de l'astragale, les paludines sautées avec du vin de riz, l'estomac de porc mélangé avec les graines de lotus, la bouillie de bulbes de lis, la galette de poria (un champignon comestible), le gâteau d'igname de Chine etc. Aujourd'hui, il y a des restaurants ayant les aliments médicaments pour spécialités dans les villes très grandes ou petites de la Chine, les affaires sont vraiment prospères.

Prendre régulièrement des pieds de cochon peut renforcer le corps, ralentir le vieillissement et garder la peau lisse. (Photo prise par Feng Gang)

Les aliments médicamenteux de la Chine brillent non seulement à l'échelle nationale, mais également deviennent populaires à l'étranger. Ils gagnent une large acceptation et imitation aux étrangers, et pénètrent dans leurs cultures des aliments locaux. Les boissons hygiéniques traditionnelles de la Chine telles que le vin de chrysanthème, le vin au ginseng, le thé oolung ont occupé un grand marché dans les pays étrangers. Le principal ingrédient du Gin, boisson populaire occidentale, est un médicament traditionnel chinois, grain de thuya, qui est capable de relâcher la tension mentale et de calmer l'esprit.

Casserole de poulet noir cuit avec les médicaments traditionnels chinois. (Photo prise par Zhu Jie, fournie par la bibliothèque d'images de *Tourisme en Chine* de Hong Kong)

La gastrothérapie chinoise et les aliments médicaux gagnent de plus en plus la faveur des étrangers. Cela représente le désir unifié pour la santé et la longévité des hommes. Bien que les médicaments occidentaux puissent guérir beaucoup de douleurs et de maladies, mais à cause de leurs propriétés chimiosynthétiques, certains peuvent provoquer des effets secondaires assez forts sans parler de leurs valeurs nulles nutritives. Tandis que les aliments médicaux

Les gens croient que la consommation régulière de la tête du poisson peut aider à ralentir le processus de vieillissement. (Photo prise par Feng Gang)

choisissent généralement les plantes naturelles comme ingrédients. Il est beaucoup plus sécuritaire de les prendre à long terme avec la dose raisonnable. Encore plus important, c'est qu'ils peuvent tonifier l'organisme, préserver la santé et renforcer la résistance aux maladies afin de prolonger la vie.

Lorsqu'on parle du goût, il représente habituellement la caractéristique unique des diverses cuisines régionales. Mais d'un point de vue de préservation de la santé, les goûts forts en salinité, douceur, acidité ou pimenté sont tous défavorables à l'organisme. La consommation excessive de sel peut endommager le cœur, la rate et les reins et provoquer l'hypertension. Trop de goût aigre et piquant va provoquer de diverses formes d'ulcères. Par conséquent, le principe de préserver la santé est d'équilibrer les « cinq goûts » et de prendre les aliments légers.

Auparavant, les Chinois mangeaient beaucoup moins de viande qui n'occupait pas la place importante dans le système des nourritures, c'est en effet à cause des conditions économiques sous-développées. Du point de vue de préserver la santé et de diététique, le régime alimentaire traditionnel des Chinois ayant les viandes comme suppléments et les cultures et les légumes comme nourritures principales a son solide fondement scientifique et raisonnable, par rapport à la structure alimentaire des Occidentaux ayant les viandes comme nourritures principales.

Le développement des plats végétariens est intimement lié avec la propagation du bouddhisme. Au début de l'introduction du bouddhisme en Chine, il n'y avait pas d'abstentions strictes sur l'alimentation. Plus tard, sous la dynastie des Sud (420-589), l'empereur Liang Wudi (règne de 502 à 549), dévot bouddhiste, estimait que la consommation de viande était l'acte de tuer qui était contre les disciplines bouddhistes. Il a encouragé le régime végétal, interdit aux moines de manger de la viande et même puni avec sévérité ceux qui avaient transgressé ces abstentions. En conséquence, les temples bouddhistes ont commencé à interdire de prendre du vin et des viandes. Les moines prenaient le régime végétal toute l'année. Cela influençait même les laïcs bouddhistes. L'augmentation du nombre de végétariens a accéléré le développement de la cuisine végétarienne. Jusque sous la dynastie des Song, comme les hommes de lettres et les fonctionnaires cultivés faisaient grand cas des plats végétariens, ainsi l'alimentation végétale a connu toute sa gloire. Le fromage de soja, le gluten et les légumes sont devenus les ingrédients principaux de la nourriture végétarienne, et ils sont progressivement considérés comme vraies gourmandises. Les industries alimentaires vulgaires ont aussi commencé à développer et commercialiser des aliments végétariens pour satisfaire les besoins des bouddhistes. Cela a également influencé les variétés des nourritures végétariennes des temples. Puisque les plats végétariens ont généralement des goûts légers, ils doivent être savamment cuisinés pour être acceptés par le grand public et égaler les alléchants mets traditionnels.

Les Chinois ont l'habitude de manger des bouillies pour la longévité depuis l'antiquité. La manière habituelle est d'avoir un bol de bouillie liquide à jeun tous les matins. Des bouillies préviennent les maladies et préservent la santé. Le peuple chinois l'a prouvé par la pratique il y a longtemps, par exemple, la bouillie de carotte peut prévenir l'hypertension. Ceux qui mangent habituellement trop de viandes et de fruits de mer peuvent prendre des bouillies aux légumes ou aux herbes sauvages pour augmenter les vitamines essentielles, nourrir le Yin et tonifier les reins. Prendre moins de viande et de fruits de mer, mais plus de plats végétariens et de bouillies est toujours le premier choix pour beaucoup de personnes à la recherche de la santé. Des plats végétariens avec des légumes, des champignons, et des produits à base de soja comme ingrédients, sont faciles à digérer et riches en éléments nutritifs. Prouvée par la science médicale moderne, la nourriture végétarienne est saine et mérite d'être largement propagée. Cependant on a déjà reconnu que les nourritures végétariennes seules ne peuvent pas fournir les nutritions complètes. Par exemple, la teneur de calcium (l'élément essentiel du corps) et les albumines animales dans les nourritures végétariennes ne sont pas suffisantes. Aujourd'hui, une structure alimentaire raisonnable est de plus en plus appréciée de l'étude de la diététique et des études de santé, et cela rend les gens plus conscients de la santé.

Les tabous alimentaires

La philosophie chinoise met l'accent sur « l'intégration de la nature et l'homme ». Ce genre de mentalité culturelle se reflète dans le régime alimentaire, ce sont l'harmonie et la coexistence de la nourriture et du mangeur. Par conséquent, il existe de nombreux tabous dans l'alimentation quotidienne des Chinois. Il s'agit notamment de la combinaison raisonnable des aliments, des tabous saisonniers ou journaliers ainsi que les « catalyseurs » ou les aliments qui ne conviennent pas à manger au cours de souffrir d'une maladie. Certaines de ces interdictions étaient les expériences transmises de génération en génération, d'autres sont les théories scientifiques résumées par les gens modernes. En bref, le problème de la consommation n'est pas tellement simple.

Les Chinois attachent de l'importance à la combinaison des aliments. Les raviolis vont au vinaigre, les poireaux enveloppés dans les crêpes trempent dans la sauce de soja fermenté et salé, le beignet frit va au lait de soja et les nouilles ne peuvent pas être mangées sans nappages ou sauces. Une table pleine de plats familiaux doit avoir à la fois les viandes et les plats végétariens pour réaliser l'équilibre du Yin et du Yang. En plus, il faut faire attention à la combinaison des principaux aliments et des aliments de complément, comme le riz et le bœuf, le bœuf de nature neutre avec le goût doux, et le riz est légèrement amer et de nature douce, et ces deux se complètent avec la douceur et l'amertume, c'est vraiment une excellente combinaison du principal et des suppléments. En outre, l'agneau et le millet glutineux, le porc et les céréales et les viandes des volailles et la pâte sont aussi les combinaisons parfaites. Au contraire, certains aliments s'opposent sur les saveurs ou les natures. Si ceux-ci sont mangés ensemble, il

Les aliments à base de riz gluant ont une bonne texture, mais ne sont pas faciles à digérer. Les gens les aiment mais n'osent pas en prendre trop. (Photo fournie par le département des photos de l'Agence de Presse Xinhua)

provoquera une peine ou un danger qui nuit la santé. Par exemple, le crabe et le kaki, la moutarde et le lapin ne peuvent pas être mangés ensemble. Ce sont tous les tabous dans les combinaisons des aliments. Beaucoup de gens ont eu ce genre d'expérience : après un banquet copieux, ils ne se sentent pas satisfaits. Au contraire, ils se sentent mal à l'aise inexplicablement, ou même tombent malades. C'est probablement parce qu'ils ont trop mangé ou mangé trop de types de nourriture, y compris les aliments qui se sont opposés sur les propriétés.

Les tabous alimentaires de la Chine ont en général des caractéristiques saisonnières marquées. Cela signifie que l'alimentation doit changer selon les saisons. Une certaine nourriture est la plus convenable à consommer pour un certain temps, mais pas pour tous les moments. Ce sont les « tabous saisonniers des aliments ». Le grand public estime que manger la ciboulette chinoise en hiver et au printemps peut «réchauffer les reins et les genoux ». Toutefois, en été, la ciboulette chinoise rend les gens « vertigineux avec une mauvaise vision ». Les piments frais sont aimés par le peuple de la province du Jiangxi en été. En hiver, c'est le tour de piments séchés. Mais en automne, aucun piment ne présente dans l'alimentation quotidienne.

Dans le régime alimentaire quotidien, les Chinois ont appris et découvert de nombreux tabous, par exemple, il ne convient pas de prendre seulement des aliments secs ou des œufs lors du petit déjeuner; Du thé fort ou des fruits tout juste après le repas ne sont pas inopportuns; Après avoir parlé ou chanté longuement, les boissons froides qui sont préjudiciables à la gorge ne sont pas recommandées ; Avant de partir en voyage et sur les véhicules à moteur, il ne faut pas avoir l'estomac plein. Après les exercices physiques, trop de sucre est également déconseillé, ainsi de suite.

Pour certaines personnes, elles ne prennent au sérieux ces tabous de l'alimentation quotidienne. Cependant, dès que l'on tombe malade ou lors des moments particuliers comme la grossesse et la période puerpérale, ces tabous doivent être strictement respectés. Comme on dit que « trente pour cent du traitement et soixante-dix pour cent de la

< Les musulmans de l'ethnie ouïgoure apprécient le riz avec l'agneau servi à la main au banquet de mariage d'amis et de famille. (Photo prise par Wang Miao, fournie par la bibliothèque d'images de *Tourisme en Chine* de Hong Kong)

Le fromage de soja est facile à faire, riche en nutrition, et peut être transformé en de nombreuses variétés de plats. (Photo par Peng Zhenge, fournie par la bibliothèque d'images de *Tourisme en Chine* de Hong Kong)

prévention ». Si on ne comprend pas les « catalyseurs » ou n'évite pas les « aliments tabous », il est bien possible de provoquer des réactions négatives sur le corps, ou même d'aggraver une maladie.

Les « catalyseurs » sont des aliments qui pourraient stimuler la maladie. Ils comprennent beaucoup de choses telles que les têtes de poulets, les têtes de porcs, les fruits de mer, les poissons, le bœuf et l'agneau, ainsi que les différents types de condiments. D'après la médecine traditionnelle chinoise, les « aliments tabous » varient selon les maladies différentes. Si l'on est faible et se sent froid dans les quatre membres, il ne faut pas prendre la pastèque, la banane ou la poire, qui ont un effet de refroidissement. Si l'on souffre de la chaleur et de la soif excessives du corps, de l'insomnie ou de l'anxiété, mieux vaut ne pas prendre de gingembre, de poivre noir ou d'alcool ainsi de suite. Quant aux crises d'asthme, les nourritures à haute protéine telles que les œufs, le lait, les poissons et les fruits de mer sont les « aliments tabous ». Souffrant d'un rhume, il ne faut pas prendre les boissons réfrigérées, les aliments froids, gras, irritants et très piquants. Lors de prendre les médicaments toniques, le thé et le navet ne doivent pas être pris, sinon il diminuera l'effet tonique.

Pour les ciboules et les ails, ils sont les assaisonnements populaires pour les plats faits par les Chinois. Surtout les gens du Nord, ils aiment les manger crus. Pourtant, les ciboules et les ails sont aussi les « catalyseurs », ils sont déconseillés pour certains malades et même pour ceux qui prennent de la chaleur endogène. Surtout les personnes âgées, trop de consommations des ciboules et des ails peuvent rendre les yeux secs et influer sur la vision.

Les fruits sont dispensables dans la structure alimentaire saine. (Photo: prise par Ran Jing, fournie par *Imaginechina*)

Pour les femmes enceintes, le régime alimentaire est basé sur la nutrition complète. Il ne faut pas prendre un seul genre d'aliment à l'excès, ni d'aliments qui sont piquants, de nature chaude, chauds et secs, ou gras et indigestes. Au cours des trois ou quatre jours après l'accouchement, les mères devraient s'en tenir à un régime végétarien, car la viande surtout les poissons comme la carpe ou le carassin, défavorisent la cicatrisation des plaies puerpérales, alors que les aliments toniques avec l'effet de réchauffement tels que les mulets sont très bons pour ce processus de guérison. Plus tard, le carassin, les pieds de porc, les œufs, et d'autres « catalyseurs » sont souvent être utilisés pour favoriser la lactation.

Bien sûr, certaines abstentions sur les aliments pour les Chinois ne sont qu'une coutume populaire et n'ont pas de base scientifique réelle. Par exemple, dans certains endroits de la Chine on estime que la femme enceinte ne peut pas manger le lapin sinon l'enfant sera né avec trois pièces de lèvres comme le lapin, ni la viande d'âne sinon le visage de l'enfant sera aussi long que celui de l'âne. La viande de tortue, l'anguille

Les patates douces sont les cultures agricoles traditionnelles plantées largement en Chine. Le rendement total en Chine s'élève à 80% de rendement du monde. De plus en plus de gens connaissent la valeur de patate douce sur la santé. (Photo prise par Hu Wugong, fournie par la bibliothèque d'images de *Tourisme en Chine* de Hong Kong)

et la loche d'étang sont également inopportunes de peur de donner au bébé une tête, un visage et des yeux tous petits. Du point de vue scientifique, il est évident que ces tabous des aliments soient ridicules. Cependant, ils représentent des espoirs merveilleux des parents et reflètent également la culture folklorique chinoise.

Il en résulte que l'étude du régime alimentaire est un domaine plein de connaissances. L'alimentation et la culture ont un certain lien. La nourriture privilégiée dans une culture peut être taboue dans une autre culture. Le culte des Indiens considère la vache comme animal sacré et il est interdit de tuer des vaches selon les lois; les Juifs détestent le porc, mais les Occidentaux ne rejettent pas tous les deux. Mais quand les Occidentaux voient certaines nationalités manger les insectes ou de la viande de chien, le dégoût s'élance. Par conséquent, les tabous dans le régime alimentaire peuvent également être considérés comme la culture d'abstention dans la culture alimentaire. Mais la culture d'abstention, en dehors de reflets dans la vie quotidienne, est aussi étroitement liée avec les

Une pharmacie traditionnelle chinoise qui vend également les ingrédients médicamenteux pour la gastrothérapie. (Photo prise par Xie Guanghui, fournie par la bibliothèque d'images de *Tourisme en Chine* de Hong Kong)

croyances religieuses d'un pays ou d'une région, les coutumes et les traditions nationales et professionnelles.

Les tabous alimentaires chinois dans le domaine religieux sont représentés par des influences du bouddhisme, du taoïsme et de l'islam. Par exemple, le bouddhisme chinois interdit aux croyants de manger de la viande, car manger de la viande est considéré comme un acte de tuer qui transgresse la discipline religieuse. Cependant, en Inde, au Sri Lanka et d'autres pays, ainsi que dans la province de Mongolie intérieure, au Tibet, au Qinghai et dans la région du Yunnan peuplée par l'ethnie dai de Chine, les moines ne suivent pas un tel commandement religieux. En fait, il s'accorde plus avec les rites anciens chinois : avant les rituels sacrificiels, les gens doivent prendre un bain et se changer, sans manger de la viande ni boire du vin afin de montrer la foi sincère. Donc, ce qui interdit aux moines bouddhistes de manger la viande ou de boire l'alcool est plutôt dû aux traditions et aux coutumes de la culture des Han. Le taoïsme, qui est originaire de Chine, s'abstient également de manger la viande et de boire l'alcool. Toutefois, son départ est différent de celui du bouddhisme, il est en vue de la préservation des organes internes et de nourrir l'esprit. Il ne préconise pas les goûts compliqués des aliments, en croyant que le secret de devenir les immortels est qu'ils ont résisté la tentation des gourmandises terrestres. Cela concerne également les inhibitions des croyants. Les tabous alimentaires du l'islam sont principalement d'origine des règles dans le *Coran*. Ces règles sont déjà devenues les habitudes communes des 1,2 milliard des musulmans du monde entier. L'islam interdit à ses fidèles de prendre de la viande des animaux qui sont morts naturellement, du porc, du vin ou les aliments qui rendent les gens ivres. En Chine, l'ethnie hui, les Ouïgours, l'ethnie kazakhe, l'ethnie kirghize, l'ethnie salar, l'ethnie bonan, l'ethnie tadjike, l'ethnie tatare, l'ethnie dongxiang, l'ethnie ouzbeke et d'autres ethnies qui pratiquent l'islame suivent ces habitudes traditionnelles de la vie. Ce genre de coutume ethnique est largement respecté en

Chine. Dans les villes ou dans les campagnes où les musulmans habitent se trouvent certainement les restaurants musulmans ou les magasins contribués aux aliments musulmans. Aux lieux publics tels que les hôtels, les écoles, les hôpitaux, les avions et les trains, pour les mangeurs, il suffit de se déclarer à l'avance pour avoir les aliments musulmans. Les lois du pays stipulent que les aliments musulmans doivent être indiqués par la marque « *musulman* » pour être conservés, transportés et vendus respectivement, séparés des aliments ordinaires.

En outre, les coutumes ethniques et locales et certaines traditions professionnelles des industries ont également influé les abstentions dans le régime alimentaire.

Dans certaines régions du sud de la Chine, le serpent est considéré comme bonne chère et manger des serpents est une pratique courante, tandis qu'il est considéré comme un acte sacrilège dans d'autres endroits où le serpent est considéré comme l'ange gardien de l'homme. Il convient de protéger les serpents au lieu de les manger afin que l'homme et le serpent puissent vivre dans la paix et l'harmonie.

Les pêcheurs vivant le long de la côte ont également de nombreux tabous des aliments en raison de leur profession spéciale. Leurs plats principaux sont évidemment des poissons. Au premier repas de poisson pendant une nouvelle année, le poisson cru doit être placé à la proue du bateau, pour être offert comme sacrifice au roi des dragons et au dieu de la mer. Lorsque vous mangez du poisson entier, après avoir terminé la viande du côté en dessus, il faut tirer la carcasse entière du poisson avant de manger le côté en dessous et le poisson ne doit pas être renversé. Pour chaque repas, il doit y avoir des restes du poisson qui peuvent être un bol de poisson ou un bol de soupe de poisson qui seront versés dans le pot lors de la cuisson du repas suivant. Ces coutumes signifient la fourniture de poisson incessante. Les restes de repas, y compris la carcasse des poissons et les rinçures après la vaisselle, ne doivent pas être versés dans la mer.

Les Chinois qui pensent que « la nourriture et la médecine partagent les mêmes racines » préfèrent les aliments toniques. (Photo prise par Feng Gang)

Les Tibétains à la frontière ouest de la Chine ont beaucoup de tabous sur les viandes. Les serpents et les animaux aquatiques sont rarement consommés. Certaines personnes ne mangent pas même d'œufs ni de poulet. Les Tibétains ne chassent jamais les oiseaux pour l'alimentation, en particulier le pigeon de neige, qui est adoré comme un être sacré. Ils ne mangent jamais le bœuf ou l'agneau frais le même jour où des bétails sont tués. On croit que, bien que les animaux aient été abattus, leurs âmes subsistent. Alors, les gens doivent attendre le lendemain pour consommer la viande. L'ail est également un sujet tabou pour les Tibétains. Selon le culte sacré, l'ail est interdit d'être consommé pour éviter d'altérer le lieu saint.

C'est intéressant de comparer les tabous alimentaires entre les ethnies et les régions différentes. Les ethnies différentes peuvent avoir des abstentions alimentaires totalement opposées. L'ethnie miao interdit de tuer et battre le chien et de manger sa viande, mais la viande de chien est l'aliment préféré des Coréens et souvent utilisée pour entretenir les invités. Aux banquets des Miao, les poulets et les canards sont souvent utilisés pour régaler les clients, et les cœurs et les foies considérés comme les parties les plus précieuses sont d'abord offerts aux aînés ou aux invités. Cependant, l'ethnie nu s'abstient de tuer des poulets pour entretenir les clients, donc il ne faut jamais mentionner le désir de manger du poulet lors de la visite dans une famille Nu.

Les abstentions alimentaires des certaines ethnies semblent absurdes. Par exemple, d'après l'ethnie yi de la province du Yunnan, la farine ne peut pas être consommée si la broche du moulin est rompue au cours de la moudre. Si un mouton tout d'un coup crie dès qu'il est tiré à la boucherie, puis sa vie sera épargnée. Quand les plats viennent d'être servis sur la table, si un poulet saute accidentellement en haute des plats, puis le repas doit être refait. Les enfants ne peuvent pas manger l'estomac, la queue du poulet, les oreilles de porc, les oreilles de mouton et ainsi de suite.

Du point de vue des coutumes folkloriques ou régionales et des religions, les abstentions alimentaires sont sans distinction de l'abstention bonne ou mauvaise. Ce qui est intéressant, ce sont les abstentions alimentaires qui créent sans intention une série de l'alimentation succulente. Les spécialités végétariennes chinoises sont les plus typiques de ce groupe. Beaucoup de temples bouddhistes et taoïstes ont leurs spécialités végétariennes fines, avec un goût frais, un aspect élégant et une grande variété qui peuvent rivaliser avec les plats de viande. Le *gratin aux Koumo* (un champignon d'origine de Mongolie intérieure) du Temple Fa Yuan de Beijing, les gâteaux tendres et parfumés du Temple Bao En de Nanjing, le fromage de soja séché « *tête de bœuf* » fait par le moine XiaoTang à Nanjing sont très populaires, et il y a encore la soupe de légumes du Temple Pu Tuo du Sud dans la ville de Xiamen. Tous les plats ci-dessus sont les spécialités de ces différents lieux saints.

Un Tour Gastronomique de La Chine

Sur une table à manger des Chinois, il n'y a pas de plat sans nom. Un grand nombre de noms des plats proviennent de certains aspects de la nourriture ou préparations, par exemple, les plats tels que « légumes mixtes » et « tanche et fromage de soja » sont nommés selon les ingrédients ; « éminces de porc à la sauce douce et piquante », « marmite parfumée avec les aliments piquants»sont nommés selon la saveur, « fromage de soja taiji » et « poisson écureuil » sont nommés selon les formes, « canard parfumé et croustillant » et « filets de porc frits tendres » sont nommés selon le goût, « la soupe aux perles et jades » et « la bouillie aux ors et jades »sont nommés selon les couleurs des plats, « légumes brûlés naturels », « viande cuite à la vapeur avec de la poudre de riz », « fluta sauté » et « poulet salé » sont nommés selon les techniques de la cuisine, le plat « crêpes d'automne frites » nommé selon la saison, les plats nommés selon le nombre tels que « Boulettes de viande de quatre bonheurs », « pot de fromage de soja aux huit trésors », « gros intestin avec neuf détours » et « galette aux mille couches », il y a encore les plats nommés avec les noms des hommes comme « fromage de soja de Mapo » et « jambe de porc Dongpo », et ainsi de suite.

Les Chinois appellent habituellement toutes sortes des mets délicieux « les trésors de la montagne et les fruits de la mer ». Les documents historiques montrent les mets rares et précieux une fois sélectionnés sur les menus des grands et de la noblesse comme les pattes d'ours, les nids de salanganes, les ailerons de requins, le concombre de mer, la trompe des éléphants, les bosses de chameau, la queue de cerf, et la cervelle de singe. Mais ce genre d'aliments est complètement devenu une rareté sur les menus de banquet de la Chine moderne. En outre, grâce à la sensibilisation accrue de protéger les animaux ces dernières années, de nombreuses personnes ont choisi de renoncer à ces aliments. Ce qui représente véritablement les tendances de l'alimentation chinoise et change selon les temps, ce sont les cuisines régionales avec les caractères distinctifs et une grande influence.

Les conditions géographiques et climatiques et les ressources varient dans les régions différentes de la Chine, ainsi que les habitudes alimentaires uniques de la population locale. Tout cela a formé les styles de cuisines régionales de la Chine. Comme celles du Shandong, du Sichuan, du Guangdong, du Jiangsu, de Beijing, du Fujian, du Zhejiang, du Hunan, et de l'Anhui. Le peuple chinois généralise les différents caractères régionaux: « la saveur douce se trouve dans le Sud, la saveur salée dans le Nord, le pimenté dans l'Est et l'aigreur à l'Ouest ».

En tant que métropole mondiale, la capitale Beijing avec une longue histoire possède des milliers de restaurants dont cent sont fameux. Ces restaurants incorporent non seulement les différentes cuisines régionales de la Chine, mais également recueillent les goûts authentiques occidentaux comme la cuisine française, italienne, russe, espagnole et américaine et d'autres styles de l'alimentation asiatique, y compris la cuisine japonaise, coréenne, indienne, vietnamienne, indonésienne, thaïlandaise, etc. ces dernières années, avec le pouvoir accru de consommation, Beijing a déjà lancé sur le marché plusieurs rues alimentaires bien typiques. Et de plus en plus de restaurants de « service 24 heures sur 24 » apparaissent. Parlant des célèbres spécialités intemporelles de Beijing, on ne peut pas manquer le canard laqué et l'agneau bouilli à la marmite mongole. « Quanjude » est une maison alimentaire réputée pour ses canards rôtis avec le feu ouvert, tandis qu'un autre restaurant bien connu, « Bianyifang », utilise le feu clos. Chacun de ces deux styles a ses propres points forts. Un canard rôti avec la couleur brune et brillante est découpé en morceaux qui sont trempés avec du poireau finement découpé dans une sauce à base de haricots et de farine et puis roulés dans une galette cuite à la vapeur. Cela donne à votre bouche le goût le plus satisfaisant. L'agneau bouilli à la marmite mongole était un plat d'hiver, mais il est maintenant disponible à tout moment car la plupart des restaurants ont la climatisation. Même en plein été, beaucoup de gens le préfèrent sans se soucier la chaleur bouillonnante. Les amis et les proches de famille s'assoient autour d'une table ronde pour prendre la fondue. On peut commander quelques plaques d'émincés d'agneau et de veau frais et crus et quelques légumes verts de saison et les faire bouillir dans la soupe bouillonnante. Lorsque la viande est cuite, il convient de la manger en accompagnant une variété de sauces, y compris l'huile ou la purée de sésame, la purée du fromage de soja, les fleurs de ciboulettes de Chine, l'huile de piment,

Il y a plusieurs années, l'agneau bouilli à la marmite mongole, était un régal pour les invités. L'hôte et les invités assis autour de la marmite, bavardent librement tout en savourant la nourriture délicieuse. L'arôme de la viande est le plus satisfaisant et les gens se sentent une forte affection. (Photo prise par Roy Dang, fournie par *Imaginechina*)

Les plats familiaux Tan de Beijing qui attachent une grande importance à la couleur, l'odeur, le goût, la forme et les ingrédients. (Photo prise par Zhu Jianhui, fournie par la bibliothèque d'images de *Tourisme en Chine* de Hong Kong)

Le canard, d'après la médecine traditionnelle chinoise, est un aliment tonique prime. Les Chinois croient que manger les canards est bénéfique pour la santé. (Photo prise par Feng Gang)

Les racines de lotus sont une spécialité alimentaire de la Chine. (Photo prise par Wang Xiaofei, fournie par la bibliothèque d'images de *Tourisme en Chine* de Hong Kong)

le poireau haché et la coriandre finement découpée qui sont les plus utilisés. Lorsque vous avez pris assez de viande, faire cuire quelques minces nouilles de riz est un choix parfait. Les nouilles de riz, après avoir absorbé le bouillon dans la fondue, ont un goût superbe. Pour une expérience vraiment inoubliable, vous feriez mieux de prendre un ou deux petits gâteaux aux graines de sésame par la suite.

Tianjin, voisin de Beijing, est une ville portuaire célèbre. Ses cuisines du style du Nord sont également typiques. L'aliment le plus célèbre de Tianjin est « *le petit pain farci cuit à la vapeur que le chien ne mangera pas* ». Il est réputé pour sa saumure au goût fort, sa farce délicieuse et ses rides symétriques. Il est dit que chaque petit pain ne peut pas avoir moins de 15 rides. Les grandes torsades de pâte frite du Tianjin sont une autre célèbre spécialité locale. Elles sont croustillantes avec un arôme merveilleusement appétissant. En particulier, « les grandes torsades de pâte frite de la rue N°18 » faites par la vieille maison alimentaire *Guifaxiang*, sont les plus renommées. Comme ville portuaire, Tianjin est riche en poissons, crevettes et crabes. Habituellement, la cuisine y a ces produits des eaux douces et de la mer pour les ingrédients principaux. Ses techniques de cuisson excellent dans le bouillir et le mijoter. Les mangeurs de tout le pays sont attirés à Tianjin par ses aliments délicieux mais peu coûteux avec les grandes portions. En outre, en 1860, la ville de Tianjin a été sélectionnée par le gouvernement des Qing (Mandchous) et est devenue un port de commerce ouvert, ainsi les aliments occidentaux s'y sont enracinés il y a longtemps. Un chef allemand y a établi une maison des aliments « Qishilin » maintenant avec plus de 100 ans d'histoire. Il est célèbre pour ses cuisines et pâtisseries authentiques allemandes et françaises.

Allant plus loin au nord de Tianjin, on arrive la vaste plaine fertile du Nord-Est. L'alimentation là est du style typique de la cuisine des Mandchous. La cuisine du nord-est est fort en mijoter et faire sauter. Les choucroutes mijotées avec la viande naturelle et les saucisses de sang sont les plats les plus représentatifs. Les côtelettes saignantes de porc mijotées dans la soupe aux épices fortes et le poulet braisé avec les champignons gagnent aussi les faveurs des mangeurs du Nord. En plus, le fromage de soja cuit dans l'eau avec le poireau, l'ail et la sauce, plat populaire des familles paysannes, donne une impression frappante avec son style typique du goût frais et délicieux.

En allant un peu plus loin au sud de Tianjin, on pourrait arriver dans la province du Shandong. En raison de ses techniques culinaires formées depuis longtemps, la cuisine du Shandong est l'une des plus influentes et populaires cuisines régionales en Chine. Shandong est le pays natal de Confucius, par conséquent, son style alimentaire représente les idées alimentaires de Confucius: « il n'y a pas de raison de rejeter du riz sélectionné le plus soigneusement et de la viande hachée le plus finement ». Il met l'accent sur les ingrédients fins, les cuissons minutieuses, les formes magnifiques de plats, et les goûts salés et délicieux avec des caractéristiques principales des aliments frais, tendres, appétissants et croustillants. Le nombre des techniques utilisées souvent dans la cuisine du Shandong dépasse 30; et celles d'excellence sont frire rapidement, faire sauter, griller et braiser. Sous les dynasties des Ming et des Qing, la cuisine du Shandong a déjà été la composante principale de l'alimentation impériale. Le banquet d'Etat de la dynastie des Qing–« les banquets tenus par les Mandchous et les Han », utilise les couverts tous en argent et comprend 196 plats qui sont tous de vraies gourmandises précieuses. On peut dire que c'est extrêmement fastueux. Comme le premier important style de cuisine du nord de la Chine, la cuisine du Shandong est l'ancêtre d'un nombre de plats principaux de banquets festifs de luxe et de cuisine familiale. En outre, elle a également fortement influencé les cuisines régionales de Beijing, de Tianjin du Hebei et du Nord-Est de la Chine. Ce qui est digne de mention, c'est Fushan de la région Jiaodong. Il est connu dans le monde entier pour ses arts culinaires développées. Là, de grands chefs abondent à toutes les époques. Non seulement les chefs professionnels ont les compétences de cuisine excellentes, même les « chefs de cuisine » dans chaque famille peuvent faire les bonnes chères. Les Chinois d'outre-mer originaires de Fushan ont propagé la cuisine du Shandong à d'autres endroits du monde. Les gens du Shandong sont réputés généreux et accueillants. Ils font grand cas d'entretenir les visiteurs en offrant les grandes portions des plats de peur que les visiteurs aient le ventre à moitié vide lorsque les repas sont finis. Par conséquent, ceux qui visitent les familles du Shandong doivent être prêts à manger à satiété.

Un autre voisin du Shandong est la province du Shanxi où les cultures principales sont le blé, le maïs, le sorgo et les patates. Bien que la cuisine de cette province ne soit jamais considérée comme l'une des principales de la Chine, il n'empêche pas les gens d'ici de

La rue de la collation Wangfujing à Pékin. (Photo prise par Deng Wei, fournie par la bibliothèque d'images de *Tourisme en Chine* de Hong Kong)

jouir des gourmandises. Les gens du Shanxi ont une longue tradition d'être marchands, surtout pendant les dynasties des Ming et des Qing où les marchands du Shanxi fleurissaient. On a vu de nombreux marchands riches qui ont fait Shanxi d'endroit le plus riche du pays. Par conséquent, si l'on fait un peu plus d'attention au menu du Shanxi, il n'est pas difficile de trouver des preuves de l'abondance du passé de cette province. Juste pour les nouilles, il y aurait d'innombrables variétés, chacune a la préparation unique et le goût différent de l'autre, et même seulement les nouilles de toutes les variétés peuvent composer un grand banquet. Tout comme les gens du Shanxi qui aiment manger des aliments à base de farine, les gens du Henan considèrent aussi les aliments à base de farine comme nourritures principales. L'originalité remarquable de la cuisine du Henan est de donner une grande importance à la soupe. Le « Banquet liquide de Luoyang » célèbre se compose de 24 plats préparés avec soin dont 8 sont froids et 16 sont chauds et inclut à la fois les plats de viande et les plats végétariens, et il y a de la soupe dans chaque plat.

Les petits pains remplis de la soupe avec les formes exquises (Photo prise par Yang Qitao, fournie par *Imaginechina*)

A l'ouest du Shanxi se trouve la province du Shaanxi. Son chef-lieu est la ville de Xi'an qui était plusieurs fois la capitale du pays dans l'histoire. Outre les Guerriers en Terre Cuite de la dynastie des Qin, la Grande Pagode des Oies sauvages et d'autres sites historiques, les trésors attirent le plus les étrangers à Xi'an sont *les morceaux des pains à la soupe de mouton* et *le banquet des raviolis*. Dans les grandes avenues ou les petites rues de Xi'an, se trouvent de nombreux restaurants qui se spécialisent dans *les morceaux des pains à la soupe de mouton*. Les clients doivent, de leurs

Les brochettes parfumées à Chengdu. (Photo prise par Zhang Hongjiang)

propres mains, déchirer les petits pains cuits à la vapeur en morceaux, (ceux qui sont les plus petits sont les meilleurs), puis donner le bol au chef de cuisine du restaurant qui va tremper les petits morceaux avec la soupe de mouton délicieuse avant de servir le plat. Les raviolis sont des aliments traditionnels du Nord de Chine. *Le banquet des raviolis* de Xi'an se compose des raviolis de 108 variétés différentes, y compris les raviolis cuits à la vapeur, bouillis et frits. Les raviolis ont les ingrédients extrêmement fins et sous des formes originales. Certains ressemblent à des papillons ou à des nids d'oiseaux, d'autres ressemblent à des nuages, ou à des coquillages. Chaque ravioli a l'aspect et le goût unique. Lors de prendre les raviolis, on peut entendre des légendes folkloriques ou des faits historiques liés avec les raviolis, il est vraiment une expérience extraordinaire.

Vers l'ouest de Xi'an, à Yinchuan, les gens peuvent apprécier la tête de l'agneau rôtie typique ; à Lanzhou, il y a les authentiques nouilles tendues à la main à la soupe de bœuf; à Xining on ne peut pas manquer la soupe aux entrailles de l'agneau, et il y a à Ürümqi les grands chachliks qui vous attendent. Allant au nord de Xi'an et pénétrant profondément dans les prairies de la Mongolie intérieure, il faut goûter l'agneau entier rôti.

Allant de Xi'an vers le sud, on pourrait arriver à « l'Etat de paradis » –la province du Sichuan. La cuisine du Sichuan est aussi une cuisine régionale représentative qui a mûri il y a longtemps. Elle exerce une grande influence dans toutes les régions de la Chine. A mentionner la cuisine du Sichuan, presque la seule chose qui vient à l'esprit est la saveur piquante et chaude. En effet, la cuisine du Sichuan accorde une

Le pot piquant de Chongqing (Photo prise par Zhang Hongjiang)

grande attention à l'assaisonnement, avec des goûts variés. On peut l'observer seulement en voyant les condiments de la cuisine du Sichuan, y compris le poireau, le gingembre, l'ail, le piment, le poivre noir, le poivre chinois, le vinaigre, la sauce épaisse à base de fèves, la soupe de riz fermenté, le sucre, le sel et bien d'autres choses encore. Tant qu'on déploie son habileté culinaire, on peut donner aux plats au moins de sept saveurs, qui sont aigres, douces, amères, piquantes, chaudes, parfumées et salées. La plupart des plats du Sichuan sont les plats familiaux qui sont populaires, délicieux et économiques avec les caractéristiques simples et rafraîchissantes. Beaucoup de gens qui ont été au Sichuan disent que les bonnes chères du Sichuan sont innombrables, y compris les plats familiaux comme *les émincés de porc à la sauce piquante et douce, le porc cuit et sauté aux piments, le jus de soja caillé à l'huile épicée, le fromage de soja de Mapo, les tranches de poumons faites par le couple(* à base de bœuf, d'estomac, de langue de bœuf épicés), également des collations à côté de la rue comme *les brochettes parfumées, la tête de lapin piquante et les nouilles à l'huile de piment (nouilles Dandan)* et les plats en vogue de la Chine tels que la fondue piquante et le poisson bouilli dans l'huile pimentée, tous les aliments sont ceux qu'on mange maintes fois sans se lasser.

Parlant de la saveur piquante, toutes les provinces et les régions dans l'ouest de la Chine ont la tradition de manger les aliments piquants. On estime que les aliments piquants ont l'effet de chasser le froid et éliminer l'humidité. Les piments ont été introduits en Chine des Amériques à la fin de la dynastie des Ming. Au début, il a été utilisé comme une culture décorative ou médicinale. Les gens dans la province du Guizhou et dans les régions voisines ont mangé pour la première fois des piments comme aliment. À une certaine époque, les piments ont été utilisés à la place du sel comme condiment. De nos jours, pas seulement la cuisine du Sichuan est célèbre dans tout le pays pour sa saveur chaude et piquante, les provinces voisines y compris le Shaanxi, le Guizhou, le Yunnan, le Hubei, et les provinces centrales au sud comme le

La cuisine cantonaise est connue pour sa longue liste d'ingrédients, les plats extraordinaires et la nutrition complète. (Photo prise par Feng Gang)

Les crabes Dazha du lac Yangcheng connus dans tout le pays (Photo prise par Xie Guanghui, fournie par la bibliothèque d'images de *Tourisme en Chine* de Hong Kong)

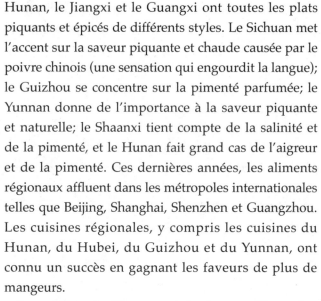

Hunan, le Jiangxi et le Guangxi ont toutes les plats piquants et épicés de différents styles. Le Sichuan met l'accent sur la saveur piquante et chaude causée par le poivre chinois (une sensation qui engourdit la langue); le Guizhou se concentre sur la pimenté parfumée; le Yunnan donne de l'importance à la saveur piquante et naturelle; le Shaanxi tient compte de la salinité et de la pimenté, et le Hunan fait grand cas de l'aigreur et de la pimenté. Ces dernières années, les aliments régionaux affluent dans les métropoles internationales telles que Beijing, Shanghai, Shenzhen et Guangzhou. Les cuisines régionales, y compris les cuisines du Hunan, du Hubei, du Guizhou et du Yunnan, ont connu un succès en gagnant les faveurs de plus de mangeurs.

La cuisine du Hunan est également l'une des huit cuisines principales de la Chine, et a assez de popularité sur la scène internationale. La cuisine du Hunan est connue pour le travail de couteau fin. Elle met l'accent sur la grande quantité de l'huile et l'épaisseur de saveur en utilisant principalement des techniques telles que bouillir, rôtir, et cuire à la vapeur pour donner les saveurs différentes telles que les saveurs piquantes et aigres, carbonisées et chaudes, croustillantes et tendres, fraîches et parfumées, salées et fumées aux plats. La cuisine du Hubei est célèbre pour son processus raffiné et méticuleux. Un plat seul a souvent besoin de plus d'une douzaine d'étapes dans la préparation. Les ingrédients principaux sont des produits aquatiques. Les plats cuits à la vapeur sont les spécialités les plus excellentes du Hubei avec les caractéristiques de la sauce épaisse, le goût fort et la saveur pure. La cuisine du Guizhou est connue pour ses nombreuses spécialités faites avec les gibiers rares ainsi que le poulet, le canard, le porc, le bœuf, les légumes et le fromage de soja. Les plats sont aux goût salés, piquants et parfumés. En raison de l'intégration des techniques culinaires de nationalités minoritaires locales, la cuisine du Guizhou a son style typique. Les plats célèbres sont le poulet à la fondue avec la soupe faible, le poisson à la soupe aigre, la viande de chien de Huajiang et ainsi de suite. Le Yunnan est une province peuplée à forte concentration par des nationalités minoritaires. Son style alimentaire est typiquement local. Les différents types de champignons sauvages comestibles sont les spécialités régionales. La cuisine du Guangxi excelle à cuire les animaux et les plantes sauvages en faisant attention à la fraîcheur des ingrédients et à la saveur naturelle. Bien qu'elle soit influencée par la cuisine cantonaise, elle préfère les aliments piquants. Il existe des caractéristiques des nationalités minoritaires locales dans les techniques de cuisine du Guangxi. Le Guangxi est également une région riche en ingrédients médicamenteux précieux, les gens y mélangent habilement les aliments et les plantes pour faire des aliments toniques considérés comme l'une des spécialités régionales.

Parlant de la cuisine cantonaise, les gens veulent toujours savoir pourquoi la province du Guangdong est celle qui attache la plus d'importance à l'alimentation de tout le pays, et aussi pourquoi la cuisine de Guangzhou qui est la plus représentative de la cuisine cantonaise est le meilleur exemple qui a combiné et mélangé les traditions alimentaires de tant d'autres lieux. Guangzhou est situé au delta du fleuve de Perle. Il est commode avec des voies maritimes et des voies de terre menant à toutes les directions. Il est donc le centre commercial du Sud de la Chine depuis longtemps. En outre, Guangzhou est le plus ancien port de commerce ouvert aux étrangers de la Chine. Les marchands ambulants de toute la Chine et même du monde entier ont apporté leurs restaurants régionaux, avec une multitude de goûts et de styles. D'ailleurs, en raison des riches ressources naturelles locales, les fruits de mer frais et les animaux terrestres rares sont tous les plats possibles sur la table à manger. Les techniques culinaires cantonaises n'ont pas seulement absorbé tous les points forts des chefs du Nord de la Chine, mais elles sont aussi influencées par les habitations alimentaires des Chinois d'outre-mer. Par conséquent, la cuisine cantonaise peut utiliser les excellentes techniques culinaires occidentales pour préparer les plats chinois. Donc la cuisine cantonaise occupe une place importante parmi les cuisines chinoises avec sa longue liste d'ingrédients, les plats extraordinaires et la nutrition complète. Les Cantonais aiment manger, mais sont également soucieux de leur santé. Ils sont célèbres pour faire des soupes et des bouillies de saison toniques.

Le Fujian, limitrophe avec le Guangdong, a un style alimentaire très différent de son voisin. Avec la cousine de Fuzhou comme style représentatif, la cuisine du Fujian est légèrement épicée. Elle met l'accent sur les goûts frais, délicieux, doux et aigres et les plats à la soupe. Les gens du Fujian excellent à cuire des fruits de mer et à utiliser des drêches de vin dans la cuisson. Les plus célèbres plats

Le banquet des carpes originaires du fleuve Jaune de la province du Henan. (Photo prise par Li Zhixiong, fournie par la bibliothèque d'images de *Tourisme en Chine* de Hong Kong)

y incluent « *le Bouddha saute par-dessus le mur* » (les fruits de mer et les entrailles des animaux mijotés ensemble dans la soupe), *les boulettes de poisson dans la soupe naturelle, les moules de mer bouilles dans la soupe de poulet, le poulet en dés aux drêches de vin* et ainsi de suite.

Les provinces du Jiangsu, du Zhejiang et la ville de Shanghai, situées sur la côte est de la Chine, ont toujours des relations étroites géographiques. Ainsi, leurs cultures alimentaires ont une influence réciproque. En raison de l'histoire relativement courte de la ville de Shanghai, les plats locaux de Shanghai sont tous originaires de Ningbo, Yangzhou, Wuxi ou Suzhou, même influencés par la cuisine du Sichuan. Les véritables spécialités avec une longue histoire sont les cuisines de Yangzhou, de Suzhou et de Wuxi dans la province de Jiangsu, ainsi que les cuisines de Ningbo et de Hangzhou dans la province du Zhejiang. La caractéristique de la cuisine de Yangzhou est qu'il s'efforce de garder la saveur et le jus naturels de l'ingrédient. Alors les plats différents n'ont pas les mêmes saveurs. En outre, Yangzhou est célèbre pour ses grandes variétés de pâtisserie. Suzhou, une ville historique enracinée profondément dans la culture humaniste, était une fois la maison de beaucoup de gens de lettres célèbres et de grands talents. La cuisine de Suzhou est également bien connue pour sa recherche au raffinement. Elle met l'accent sur l'application qualifiée de la coupe, la cuisson, la combinaison des ingrédients, les assaisonnements, et surtout la durée et le degré de cuisson. Même un repas ordinaire à domicile fait la plus grande attention au raffinement et à la qualité mais pas la quantité, et les goûts sont légers et frais. Ces dernières années, le crabe Dazha du lac Yangcheng, qui est en vogue dans tout le pays, est aussi originaire de Suzhou. La cuisine de Wuxi a deux caractères remarquables, l'un est la saveur « douce », l'autre est la saveur « puante ». Presque tous les plats sont ajoutés de la poudre de sucre candi, c'est la saveur douce. Tandis que le fromage sec de soja de Wuxin est le représentant de la saveur puante. Le plus odorant est le fromage sec de soja, le meilleur est l'arrière-goût. Les mangeurs expérimentés estiment que la cuisine de Wuxi est l'une des cuisines les plus excellentes dans le travail de couteau et dans le degré et la durée de cuisson. La cuisine de Ningbo repose sur les abondants produits locaux de hauts fruits de mer comme ingrédient principal et met l'accent sur la saveur salée grâce à la ville au bord de la mer. Hangzhou est une autre ville avec plus de mille ans d'histoire. Non seulement ses paysages sont plus pittoresques, ses gastronomies sont également dignes d'être mentionnées. Les habitants de Hangzhou sont fiers de leur plus grande vitesse à renouveler les cuisines et à créer de nouveaux goûts de la Chine. Les aliments de Hangzhou sont aussi doux et légers sans des épices piquantes ni des sauces ou des huiles épaisses. Mais la jambe de porc fait par Dongpo moelleuse et bien cuite et le poisson aigre du Lac de l'Ouest délicieux qui sont tous considérés comme plats classiques sont connus dans le monde entier.

On ne peut pas s'empêcher de se rappeler la cuisine de l'Anhui, qui a connu un succès dans tout le pays il y a cent ans. Il est dit que les restaurants de la cuisine de l'Anhui à cette époque-là étaient tous très fastueux, avec un intérieur meublé de bois précieux montrant un air de richesse et de noblesse. Mais dans les concurrences violentes du secteur des services alimentaires, la cuisine de l'Anhui a disparu de la scène. Si ce n'était pas pour les visites aux monts Huangshan, les étrangers n'ont presque jamais l'occasion de goûter l'authentique cuisine de l'Anhui.

En faisant un tour du pays, on peut trouver que les collations aux festins et les spécialités dans chaque région de la Chine sont trop nombreuses pour être citées. Les bonnes chères sous toutes les formes et aux toutes saveurs reflètent la splendeur d'une longue tradition de la culture alimentaire, avec les cultures régionales typiques. Savourer les gourmandises de toute la Chine n'est pas seulement un voyage long et luxueux, mais nous permet de connaître à chaque instant la grandeur et la profondeur de la tradition de culture alimentaire chinoise. Pour les touristes étrangers en Chine, soit qu'on prenne part aux grands banquets dans les restaurants, soit qu'on goûte les collations à côté de la rue, ce sont tous des manières directes et agréables pour connaître la Chine.

Le Vrai Plaisir de Boire à Sa Soif

L'art du thé

Les Chinois ont un dicton: « il y a sept choses dans la maison: bois de chauffage, riz, huile, sel, sauce de soja, vinaigre et thé ». Cela montre que le « thé » a déjà pénétré dans la vie quotidienne et sociale des Chinois et est devenu un objet de consommation quotidienne. Le thé contient beaucoup de vitamines, théine, huile d'essence, fluorures etc. Le thé peut améliorer la vision, rendre l'esprit clair, aider aux fonctions diurétiques et ainsi de suite. La science moderne a prouvé que le thé est l'une des boissons naturelles favorisant la santé.

La Chine est le pays natal du thé, c'est le pays où l'on a planté, fabriqué et bu le thé pour la première fois. La partie sud-ouest de la Chine, la zone montagneuse subtropicale, est le lieu de naissance de théiers sauvages. Au début, le thé était seulement utilisé comme offrandes rituelles ou aliments. Sous la dynastie des Tang, le bouddhisme était florissant, les bouddhistes ont découvert que le thé peut soulager la somnolence pendant la méditation et aider à la digestion. Par conséquent, la consommation de thé a été promue, et tout à coup, presque chaque temple avait le thé. Bientôt, le thé a été accepté par les masses, des nobles familles impériales aux marchands et travailleurs humbles, tous a bu le thé. Donc, on dit que « depuis les temps anciens, les temples fameux produisent du fameux thé. » En effet, comme la plupart des temples ont leurs propres terres, les croyants locaux aident à cultiver des cultures. L'amélioration de la qualité des feuilles de thé et la promotion de l'art de boire du thé ont été bénéficiaires des moines instruits et cultivés. Dès lors, l'art du thé chinois a été introduit avec le bouddhisme au Japon et y a exercé une grande influence. L'art du thé a pris sa forme au Japon il y a plus de 400 ans. La Corée, ainsi que les pays en Asie du Sud, a également été influencée par les coutumes de boire du thé.

En raison des différences dans la culture et la géographie, le mot « thé » en chinois a principalement deux manières de prononciation. L'une qui est basée sur les dialectes du nord se prononce comme « cha », l'autre qui est du dialecte des provinces du Sud telles que Fujian et Guangdong est prononcée comme « tee ». Les pays qui ont importé du thé du Nord de la Chine, par exemple le Japon et l'Inde, ont leurs mots pour « thé » dont la prononciation est similaire à « cha », la prononciation russe est « chai » et les Turcs disent « chay ». Et les pays ont importé du thé de la côte sud de la Chine, tels que l'Angleterre, a le mot «tea»; le mot espagnol est « té »; le mot français est « thé », les Allemands disent « thee ». La plupart des mots étrangers de « thé » sont les traductions phonétiques du mot chinois pour le « thé ».

La vulgarisation de thé va de pair avec son développement du commerce. En Europe, les plus anciens buveurs de thé ont été les Britanniques. Les dossiers historiques montrent que, au début du XVIIe siècle, les Anglais ont déjà goûté du thé transporté de Chine. Et cela a suscité un grand intérêt et une demande en grande quantité du thé. Pour garantir un approvisionnement continu de boissons au thé, le gouvernement britannique a ordonné la Compagnie de l'Est d'Inde de garantir un certain stock de thé. Comme le thé a été de plus en plus populaire, même pour le grand public, la demande des pays européens pour l'approvisionnement de thé a augmenté chaque jour davantage. Au début du XIXe siècle, la Chine avait un volume des exportations de thé de 40 millions de tonnes pour l'Angleterre et a créé les grands déficits commerciaux sino-britanniques. Pour renverser la situation défavorable, les marchands britanniques ont essayé tous les moyens pour obtenir l'opium de l'Inde et du Bengale et l'exporter vers la Chine, en échange de thé chinois sans dépenser de l'argent réel. Il en

Les feuilles de thé de Pu'er sur l'arbre à thé. (Photo prise par Xu Yunhua, fournie par la bibliothèque d'images *Tourisme en Chine* de Hong Kong)

Les boissons des temps anciens de la Chine se divisent en trois catégories: les liquides d'épaisseur, l'alcool et le thé. Sous la dynastie des Tang, les distinctions des trois types ont été claires dans les fonctions quotidiennes. Les liquides ont été utilisés pour étancher la soif, l'alcool a été utilisé pour dissiper des soucis, et le thé a été utilisé pour libérer l'esprit et le rafraîchissement. Le thé pourrait être utilisé comme boisson quotidienne. Il a des propriétés cicatrisantes, il pourrait être utilisé dans la cuisine, il pourrait prendre la place de l'alcool, et même dans les premiers jours il a été utilisé pour le dégrisement.

Un jet d'eau chaude descend du haut, le refroidissement de l'eau bouillie dans le processus est bon pour l'infusion de thé. (Photo fournie par Huang Rui)

résulte qu'à cette époque-là éclata l'infâme « guerre de l'opium » qui a fortement influé sur l'histoire contemporaine chinoise.

La Chine a seize provinces et régions, y compris Taiwan, qui produisent du thé. Depuis la dynastie des Tang, les nationalités nomades du nord et du nord-ouest ont troqué leurs chevaux contre du thé avec les gens des régions riches en thé. Cela a fait prospérer un tout nouveau genre d'affaires qui a duré jusqu'au milieu de la dynastie des Qing où l'échange du cheval et du thé a commencé à être remplacé par l'opération monétaire. Actuellement, le thé est devenu une nécessité quotidienne pour les personnes dans ces régions.

Le thé est fait à base des feuilles cueillies sur des arbrisseaux à thé. En raison des procédures de traitement différentes, le thé est classé en plusieurs catégories : thé vert, thé rouge (noir), thé oolong, thé blanc, thé jaune et thé noir. Les thés célèbres de haute qualité sont produits en bénéficiant de nombreux facteurs, y compris l'environnement naturel supérieur, l'espèce sélectionnée des arbrisseaux à thé, les méthodes méticuleuses de cueillette et les processus de traitement exquis. Alors ces thés de haute qualité jouissent d'un grand prestige et occupent également une place importante sur le marché commercial.

La clé de distinguer les types de thé est la « fermentation ». Les thés non fermentés sont appelés les « thés verts », qui utilisent des bourgeons frais de thé comme ingrédient de base. Par le chauffage à sec ou à la vapeur, la fermentation du thé est arrêtée. Puis il est tortillé et séché pour le produit fini. La soupe du thé vert est verdoyante en couleur ou verte avec une touche de jaune à l'intérieur. Son parfum frais est souligné par un peu d'amertume. Parmi toutes les sortes de thé, le thé vert possède la plus longue histoire, le plus grand volume de production et la plus large zone de production. Et les thés verts des provinces du Zhejiang, de l'Anhui et du Jiangxi ont la plus grande production et la meilleure qualité. Les thés verts, depuis les temps anciens, sont notamment riches en thé de haute qualité, y compris le célèbre Longjing (puits de dragon) du lac de l'Ouest, le Biluochun du lac Dongting, le Maofeng des Monts Huang, le Ganlu de Mengding, le Yunwu de Monts Lu, le Maojian de Xinyang et le Guapian de Liuan, qui sont tous bien connus partout.

Grâce à la fermentation, les feuilles de thé changeront progressivement de leur couleur d'origine verte foncée à un rouge teint sombre (noir); la fermentation qui est plus forte provoque une couleur plus rouge. Son arôme changera également selon le degré de fermentation, du parfum naturel des feuilles aux parfums des fleurs, aux parfums de fruits mûrs ou au parfum de sucre de malt. Le thé complètement fermenté est appelé le « thé rouge » (thé noir en langue anglaise). Il est fait par des feuilles de thé fraîches en provenance des arbres, puis par un processus appelé la « fanure » (les feuilles de thé sont placées à l'extérieur en plein soleil intense). Ensuite, elles sont déplacées à l'intérieur pour le refroidissement, donc le thé devient beaucoup plus parfumé). Ensuite, le thé est pétri, fermenté, séché par une série des étapes de traitement. En raison de la couleur rouge foncée du thé sec et la soupe rouge de thé, nous l'appelons le « thé rouge (Noir) ». Le « thé rouge (Noir) » a dans son processus de traitement connu des réactions chimiques, où la composition chimique des feuilles fraîches change beaucoup. Son parfum est beaucoup plus fort que celui des feuilles fraîches. Les thés rouges plus célèbres comprennent le thé rouge (Noir) QI men, le thé Gongfu Ninghong, le thé Minhong du Fujian et ainsi de suite. Le thé semi-fermenté, ou le thé oolong, sont une unique spécialité chinoise. La plus représentative zone de production de thé oolong est Anxi de la province du Fujian. Le thé oolong peut être classé en trois catégories, ce sont les thés de la fermentation légère, moyenne et forte. Le thé oolong légèrement fermenté a les caractéristiques de l'arôme puissant, du raffinement, et de la soupe de couleur dorée. Le thé oolong de la fermentation moyenne comprend le thé Tieguanyin (littéralement le Bodhisattva de fer), le Shuixian, et le Dongding. Sa couleur de soupe est brune et son goût est stable en donnant une touche un peu forte à la gorge. Pour le thé oolong lourdement fermenté comme le thé oolong Baihao, la soupe est de couleur orange avec la douceur et le parfum des fruits mûrs.

En général, les Chinois du Nord préfèrent le thé parfumé (thé avec l'arôme de fleur), ou le thé rouge (noir), le peuple du sud du fleuve Yangtsé ne peut pas vivre sans le thé vert comme le Longjing, le Maojian ou le Biluochun; les personnes dans les provinces du sud-ouest sont habituées à boire le thé Pu'er (thé rouge) avec un arôme fort et les gens du Fujian et du Guangdong aiment utiliser le thé oolong pour faire le « thé de gongfu ». Le peuple nomade de Chine boit généralement des thés au lait de divers types. Certaines personnes disent que le thé vert symbolise l'air des hommes de lettres du sud du fleuve Yangtsé, frais et agréable. Le thé rouge a l'air des femmes, apportant un sentiment de paix. Le thé oolong symbolise la sagesse des personnes âgées, généreux et velouté. Le thé parfumé est fort comme le marché animé avec un goût direct et corsé. Par conséquent, le thé adoré d'un Chinois peut donner de nombreux indices sur l'endroit d'où la personne est originaire, sur la personnalité de l'individu et le niveau de culture.

Dans la plupart des régions productrices de thé de la Chine, la croissance d'arbres à thé et la cueillette des feuilles de thé ont leurs saisons. La cueillette du thé a généralement lieu au printemps, en été et en automne. Les feuilles de thé de différentes saisons ont des apparences et des qualités différentes. Les feuilles de thé cueillies au printemps, à partir du début du mars à la Fête de Qingming (également connu sous le nom de la Fête des Morts autour du 5 avril de chaque année), sont appelées le «thé pré-ming» ou le

« premier thé ». Sa couleur est d'un vert de jade clair, et son goût est pur avec une touche d'amertume. Deux semaines après la Fête de Qingming, il arrive la période *Guyu (l'une des 24 périodes de 15 jours de l'année solaire marquant les changements du climat, autour du 20 avril de chaque année)* du calendrier lunaire chinois. Pendant ce temps, il fait de la pluie fine qui humecte les cultures dans la région du sud du fleuve Yangtsé. Et cela fait naître le deuxième sommet de la cueillette de thé. Les feuilles de thé recueillies après le Qingming, mais avant le Guyu sont appelées le « thé avant la pluie », et le thé de printemps après le jour de Guyu est appelé le « thé après la pluie ». Le prix du thé de printemps baisse généralement selon les temps de la cueillette des feuilles de thé, celles qui sont cueillies plus tôt sont plus coûteuses que celles sont cueillies par la suite. Dans la plupart des cas, le thé vert au début du printemps est le meilleur en qualité parmi tous les thés verts disponibles dans toute l'année. Le thé de l'année même est considéré comme thé nouveau, tandis que le thé de plus d'un an est considéré comme thé vieux. Le thé vert et le thé oolong qui sont plus frais sont meilleurs, tandis que le thé rouge Pu'er donnera une saveur plus moelleuse avec le temps. Les amateurs de thé ont des choix différents au fil des saisons. Les thés verts sont parfaits pour le printemps, tandis que le thé de chrysanthème (fleurs séchées en plein soleil, Hangzhou dans la province du Zhejiang produit le plus célèbre thé de chrysanthème) est bien aimé en automne. A la fin de l'automne et en hiver, le thé oolong, le thé Tieguanyin et le thé rouge Pu'er sont parfaits pour le temps froid. Tout au long de l'année, il y a beaucoup de variétés de thé que l'on peut choisir. Les buveurs de thé

Les gens du nord-ouest de la Chine préfèrent le «thé de briques» avec un goût unique qu'on peut savourer dans un restaurant musulman (Photo prise par Li Zemin, fournie par la bibliothèque d'images *Tourisme en Chine* de Hong Kong)

expérimentés peuvent non seulement discerner le thé neuf avec le thé vieux. Ils sont encore capables de dire la saison de la cueillette de thé.

L'habitude de boire du thé est profondément enracinée dans la vie des Chinois. Au milieu de la dynastie des Tang, un érudit nommé Lu Yu (733-804), qui avait passé son enfance dans un temple, a recueilli et compilé des écritures plus anciennes concernant le thé en combinant son propre étude sur le thé . Finalement, il a achevé la première écriture spéciale du monde sur le thé–« Cha Jing ». Cet ouvrage classique a systématiquement enregistré les propriétés des arbres à thé, les traits des feuilles de thé, les catégories, la cueillette, et les traitements du thé, l'art de l'infusion du thé, les ustensiles et les expériences de boire du thé et ainsi de suite. Le manuscrit a également présenté les origines du thé ainsi que les histoires sur le thé avant la dynastie des Tang, même les régions productrices de thé à cette époque-là. Le livre est un important travail de contribution à la culture du thé chinois.

Au milieu de la dynastie des Tang, il y avait des façons compétitives à juger la qualité des thés et les techniques de l'infusion du thé, comme on l'appelait « ming zhan », qui signifie littéralement « la rivalité des thés». Il était une manifestation de la plus haute forme d'échantillonner et de déguster le thé dans les temps anciens. Sous la dynastie suivante, la dynastie des Song, boire du thé a été la vogue dominante, et c'était le temps dans l'histoire où les gens s'éprenaient « la rivalité des thés». Des empereurs, des généraux, des fonctionnaires même le grand public, tous ont participé à ce genre d'activités. Il y avait non seulement des compétitions entre les célèbres zones de production du thé et les temples, même sur les marchés vendant du thé, les gens faisaient « la rivalité des thés » qui était étroitement liée au commerce. L'échantillonnage de beaucoup de genres de thés célèbres et de tribut impérial avait la relation directe ou indirecte avec « la rivalité des thés ». Dans une bataille de thé, habituellement, deux ou trois personnes se rassemblent, et chacun présente le meilleur thé qu'il apprécie, après le chauffage de l'eau et l'infusion de thé, celui qui gagne le plus de faveur des buveurs est le champion. L'art du thé met l'accent sur de nombreuses idées, pour le thé, « celui qui est plus frais est plus noble » ; pour l'eau utilisée pour l'infusion du thé, « l'eau vive est plus noble ». Le thé avec le goût « parfumé et doux » est considéré comme la meilleure qualité, et le parfum le plus apprécié de thé devrait être le « parfum réel » des feuilles de thé. Quant à la couleur de la boisson, la soupe incolore et claire est l'espèce supérieure. En conséquence, les tasses de thé en porcelaine noire (les porcelaines noires produites aux fours Jianyao du Fujian) ont déclenché une mode esthétisante en remplaçant la porcelaine bleu de thé d'autrefois. On croyait que la valeur d'une tasse de thé n'est pas seulement dans son aspect esthétique, mais plus importante lorsque la tasse aide à produire une expérience inoubliable aux moments de déguster du thé, dirigée par les sens de toucher, de vue, d'odorat et de goût. Lors de la préparation du thé avec une tasse de thé en porcelaine noire, la beauté d'un liquide blanc jette un grand sens de la satisfaction esthétique. C'est un art apprécié par toutes les classes sociales lors des fêtes impériales ou des réunions roturières. Cette vogue a même fait son apparition au Japon. « La rivalité des thés» a eu une influence profonde sur le développement de la culture du thé chinois.

Une jeune fille de l'ethnie bai fait bouillir le thé. (Photo prise par Xie Guanghui, fournie par la bibliothèque d'images *Tourisme en Chine* de Hong Kong)

Les critères d'échantillonner, d'évaluer et d'expertiser le thé ont généralement évolué des idées du livre de « Cha Jing » et de « la rivalité des thés ». Pour faire un pot de thé fin, il faut non seulement utiliser des feuilles de thé de haute qualité, mais également faire attention aux autres facteurs comme la qualité de l'eau, la température de l'eau, la quantité et les ustensiles de thé etc. Les anciens Chinois estiment que l'eau de source du haut dans les montagnes est la meilleure pour faire du thé. L'eau de la rivière, l'eau de la neige fondue, et l'eau de pluie sont bonnes; mais l'eau des puits de terre est la pire. On peut l'expliquer au point de vue moderne : l'eau de la meilleure qualité est l'eau douce et fraîche avec des minéraux à faible teneur, tandis que l'eau dure à forte teneur en minéraux ne doit pas être utilisée. La température de l'eau requise doit changer selon les types de thé. Pour la plupart des thés, l'eau près de 100 degrés (Celsius) serait convenable. Toutefois, pour les thés verts et les thés avec un faible degré de fermentation, la température de l'eau ne doit pas dépasser 90 degrés Celsius. La dose des feuilles de thé utilisée pour faire une boisson dépend aussi du type de thé. Du quart aux trois quarts de la capacité de la théière, tout est possible. Quant aux « ustensiles de thé », les différents types de thé exigent les ustensiles différents. Pour le thé parfumé, les ustensiles en porcelaine sont utilisés de manière à conserver le parfum. Le thé vert est de nature légère et claire dans le goût, les ustensiles en Zisha (littéralement «sable violet ») cuits peuvent absorber facilement le goût et le parfum, il est donc préférable d'utiliser des verres afin de préserver le parfum et de permettre une vue claire de la couleur et la forme de thé dans l'eau. Comme pour le thé rouge et le thé semi-fermenté, les meilleurs ustensiles à utiliser seraient ceux qui sont en argile. Pour vraiment comprendre la jouissance de boire du thé, et sentir le vrai goût de thé, il faut avoir une très haute culture et la bonne culture artistique chez un individu. On peut ainsi gagner la jouissance artistique dans ce processus, s'épurer et se perfectionner dans l'esprit. Par conséquent, boire du thé reflète un art esthétique de la vie à la chinoise.

Parlant des ustensiles de thé, avant la dynastie des Tang, les ustensiles de thé et les ustensiles de la nourriture n'avaient pas été distingués. Comme la consommation de thé a augmenté, des ustensiles de thé sont devenus de plus en plus raffinés. À la fin de la dynastie des Tang, l'ustensile le plus idéal pour boire du thé a été inventé, c'était le pot en Zisha (sable violet). Il est différent de la plupart des poteries car il utilise une très fine argile de couleur violette comme matière de base avec le travail habile d'artisanat. Le pot est de couleur brun-violet, avec une touche fine et lisse, et la forme gracieuse avec une simplicité antique. Ce genre de poterie est produit dans une haute température environ 1100 degrés (Celsius), sans émail sur l'intérieur ou l'extérieur. En regardant le pot à travers un microscope de 600 fois de grossissement, de petits pores qui peuvent être observés sur sa surface facilitent le passage de l'air mais pas de l'eau et scellent le parfum de thé à l'intérieur. En plus, pas mal d'hommes de lettres et de savants participent directement à la conception et à la fabrication des pots, ainsi des poésies, des peintures, des empreintes de sceaux et des sculptures sont rassemblées en un seul petit pot, possédant une très haute valeur artistique et fonctionnelle.

La raison pour laquelle les pots en Zisha sont devenus célèbres dans tout le pays après la dynastie des Ming a la relation avec des

Une personne âgée dans la maison de thé de Chengdu. (Photo prise par Zhang Hongjiang)

changements de tendance de boire du thé. À cette époque-là, le thé lâche (les feuilles de thé indépendantes l'une et l'autre) a déjà remplacé le thé en pâte. Avec l'aide des petites tasses pour l'infusion de thé, il était difficile à maintenir la température, les théières ont ainsi été utilisées. L'utilisation des petites théières pour faire du thé est une tradition qui a commencé au XVIᵉ siècle et continué jusqu'à nos jours, avec déjà plus de quatre cents ans de l'histoire. Lorsque vous utilisez le pot en Zisha pour préparer du thé, en raison de sa faible conductivité de chaleur, les pores sur le couvercle empêchent la vapeur de se condenser sous le couvercle des gouttes d'eau qui ruinerait le goût de thé. Puisque les théières ont déjà été traitées par la haute chaleur, elles ne se fissureront pas même quand elles sont directement chauffées sur un poêle. Plus souvent le pot en Zisha est utilisé, plus brillant et plus lisse il deviendra, plus fort sera le parfum de thé. Ceux qui chérissent les théières préfèrent utiliser les différents pots pour faire les différents types de thé, de manière à maintenir le goût stable et pur de la théière avec le temps qui passe.

Le lieu de naissance de pots en Zisha est la «ville de poterie» célèbre -- Yixing. Il est situé à la frontière commune du Jiangsu, du Zhejiang et de l'Anhui, au bord de la rive du lac Taihu. Sous la dynastie des Tang, ce lieu était une célèbre base productrice de thé où de nombreux types de thé célèbres ont été offerts comme tribut impérial. Les ustensiles en Zisha de Yixing sont largement connus depuis la dynastie des Song du Nord. Sous la dynastie des Ming, il y avait de nombreux maîtres de fabriquer les pots en Zisha à Yixing, et les pots de formes originales avec des décorations simples et gracieuses étaient très populaires. La plupart des amateurs de thé aiment habituellement collectionner et apprécier des théières. Certaines théières en Zisha de Yixing exquises faites par les mains des maîtres célèbres peuvent être plus coûteuses que l'or pur. Collectionner des pots ou « élever»des pots est considéré comme habitude élégante jusqu'à ce jour.

Il faut encore mentionner que, dans les régions du sud du Fujian et de Chaozhou les gens prennent du thé Gongfu. Comme les pots

Un salon de thé du Sichuan plein de vie. (Photo prise par Chen Jin, fournie par la bibliothèque d'images *Tourisme en Chine* de Hong Kong)

en Zisha de Yixing sont très populaires depuis les dynasties des Ming et des Qing, les exquis ouvrages en Zisha haut de gamme de thé ont été une fois le symbole de l'éducation, du statut et du rôle social des hommes de ces régions. Quoiqu'ils soient les grands, les noblesses, ou les citoyens ordinaires, ils considèrent les pots en Zisha comme trésors qu'on a obtenus par des mille de moyens. Certains ont fait les pots les accompagner à leurs tombes. Toutefois, dans la province du Jiangsu, la région productrice des pots en Zisha, les gens préfèrent le thé vert. Comme les techniques de fabriquer le thé s'améliore, il y a très peu de gens aujourd'hui qui utilisent encore des pots en Zisha pour faire du thé vert. Plutôt, ils préfèrent les tasses en porcelaine blanche ou en verre. Les pots en Zisha sont maintenant presque considérés comme un objet d'art à apprécier dans la maison. Pour un pot en Zisha de qualité supérieure, les personnes préfèrent le passer à travers les générations au sein de la famille au lieu de le garder comme un objet funéraire personnel.

La Chine a toujours l'habitude de « servir du thé aux visiteurs ». Certains préconisent le thé pour remplacer l'alcool. La façon d'offrir du thé est vraiment très simple. Avant de faire du thé, il faut demander la préférence des clients. L'eau utilisée pour faire du thé ne doit pas être trop chaude de peur de brûler le client. A verser le thé, il ne convient pas de remplir la tasse pour le thé mais laissant un cinquième de la tasse vide tandis qu'il faut remplir le verre du vin. Lorsque l'hôte verse du thé pour les invités, l'invité frappe légèrement sur la table en utilisant l'index et le majeur pour montrer sa reconnaissance. On dit que cette coutume s'est transmise de la dynastie des Qing et n'est pas seulement populaire en Chine, mais aussi populaire parmi les Chinois d'outre-mer de l'Asie du Sud-est.

Prendre le thé Gongfu est une coutume unique de la région de Chaozhou de la province du Guangdong. Il existe depuis la dynastie des Tang. Il n'est pas seulement la première courtoisie montrée pour les invités distingués, mais aussi le symbole utilisé comme des moyens de reconnaître les mêmes ancêtres par les gens de Chaozhou qui voyagent ou résident à l'étranger. Le thé Gongfu authentique de Chaozhou respecte sincèrement les vieilles traditions, généralement le nombre total de l'hôte et des invités est quatre. Cela est d' accord avec l'ancienne idée d'amateurs de thé des dynasties des Ming et des Qing, que les buveurs de thé doivent avoir l'esprit pur et paisible sans se soucier de trop de choses. Quand les invités prennent leurs places, il faut suivre l'ordre des générations ou des statuts, à partir de la droite de l'hôte, et s'asseoir aux deux côtés. Les invités assis, l'hôte commence à travailler sa magie. Non seulement les ustensiles de thé sont aussi fascinants que les antiquités, la qualité des feuilles de thé, l'eau, l'infusion, la verse et la consommation de thé, l'étude de tous les domaines sont bien intéressantes. La théière utilisée pour le thé Gongfu est petite et exquise, seulement avec la même taille qu'un poing. Les tasses de thé sont encore mignonnes comme la moitié d'une balle de ping-pong. Le genre de thé choisi est le thé oolong, qui excelle en couleur, parfum et goût. Les feuilles de thé sont bien bourrées dans le pot et compactées par les doigts. On dit que plus fort est le resserrement, meilleur sera le goût. Il est préférable d'utiliser l'eau qui a déposé pour faire du thé. Lorsque la préparation du thé, il faut verser immédiatement de l'eau bouillie dans le pot. Les soupes des premières deux fois de thé ne sont pas potables mais utilisées pour le rinçage des feuilles de thé et les tasses. Lorsque vous versez du thé, il ne faut pas remplir respectivement les quatre tasses l'une après l'autre. Au contraire, il faut verser le thé alternativement parmi les quatre tasses et finir par remplir environ sept dixièmes de chaque petite tasse. Lorsqu'il reste la soupe la plus épaisse du thé contenant l'essence du thé, on devrait la répartir de façon homogène dans chaque tasse afin d'assurer l'égalité de goût fort et le parfum uniforme. Il existe des règles lors de boire du thé Gongfu. Il ne faut pas boire le thé immédiatement, mais on doit se rincer la bouche avec de l'eau fraîche afin de garantir de déguster la vraie saveur du thé. Lorsque vous buvez, il faut siroter lentement et utiliser la langue pour sentir et goûter le thé. Le thé Gongfu est très fort et contient une basicité forte, donc on sentirait amer et astringent au premier coup. Mais si l'on en boit plus, le thé deviendra plus parfumé et plutôt lisse et doux, et on commence à se sentir plus énergique. En prenant du thé, les gens peuvent se parler à leur aise et se sentir la tranquillité d'esprit. C'est le vrai sens de « gongfu » qui démontre aussi une caractéristique unique de l'art du thé chinois de respecter la nature et la liberté, en reflétant une spéciale humanité chinoise–honnête, généreux, réservé et discret.

Le thé Gongfu évoque facilement les différents types des maisons de thé. En Chine, la gestion d'une maison de thé est une profession de service très populaire. Surtout dans les régions du Sud du fleuve de Yangtsé, des salons de thé se trouvent dans chaque coin des grandes villes et même des petits villages. Il y a des maisons de thé qui gardent les traditions de cent ans et des maisons de thé modernes qui combinent les caractéristiques de cafés et de bars. Et un grand pourcentage de maisons de thé fournit également des services de restauration. Remontant dans l'histoire, les salons de thé fleurissaient au début de la dynastie des Song. A cette époque-là, il y avait des maisons de thé pour tous les milieux sociaux. Dans les maisons de thé d'élégance, il y avait non seulement des peintures et des œuvres calligraphiques des hommes illustres ornant les murs, mais aussi toutes sortes de fleurs fraîches et des bonsaïs à l'intérieur, et la musique de fond pour créer une ambiance élégante. Jusqu' à la dynastie des Qing, sous les règnes de l'empereur Qianlong (1736-1795) et de l'empereur Jiaqing (1796-1820), les maisons de thé de Beijing ont été combinées avec des différentes formes d'arts folkloriques pour un vrai régal. Les clients pouvaient boire du thé tout en admirant des arts folkloriques sur place, ou apporter leur propre thé et payer seulement pour l'eau. Par conséquent, de nombreux théâtres et opéras de Beijing ont été une fois appelés « jardins de thé ». La spécialité de Beijing, le *Dawan cha* (thé à grand bol), est maintenant difficile à trouver. Mais autrefois, on pouvait prendre un bol de *Dawan Cha* sous n'importe quel arbre, assis près d'une table minable sur un siège minable avec un bol brut grand dans la main. Les gens du Sichuan ont une longue histoire de boire du thé, et les maisons de thé sont très populaires. Dans la capitale provinciale, Chengdu, il y a des maisons de thé très petites avec trois ou cinq tables et des maisons de thé bien grandes avec plusieurs centaines de sièges. Là, les gens utilisent *gaiwan*, un ensemble complet avec un bol de thé, un plateau pour le bol et un couvercle. L'utilisation des pots en bronze à longue bouche pour verser le thé est une spécialité des maisons de thé du Sichuan : un long jet de l'eau du thé est déversé dans le bol et s'arrête juste comme il remplit à la bordure du bol, sans une seule goutte perdue. Les hommes âgés préfèrent déguster du thé tout en admirant des spectacles d'opéra chinois ou en bavardant avec des amis dans les maisons de thé. Pour les cols blancs professionnels modernes, les salons de thé peuvent leur donner une occasion de se détendre, se communiquer ou parler des affaires. Il existe un dicton en Chine: « le thé purifie le cœur ». La paix et l'état d'esprit tranquille que le thé représente sont différents de la société mondaine pleine de clameur et d'impatiences. Ceux qui aiment le thé peuvent facilement trouver un état de pureté et le contentement.

L'alcool, boisson romantique

Les boissons alcoolisées sont une sorte de culture matérielle partagée par toutes les nationalités du monde. Avant la maîtrise technique de distillation de l'alcool, celui-ci ne pouvait être produit que par la fermentation. La tradition de fabriquer de l'alcool en utilisant des céréales a constitué la caractéristique particulière de l'alcool chinois. Le vin de riz, ou vin jaune, étant l'une des trois principales sortes de boissons alcoolisées (vin de riz, vin de raisin et bière), est connu comme le modèle de la vinification oriental.

L'alcool chinois avait une longue histoire. Quant à son origine, il existait de nombreuses versions d'après des œuvres classiques, pourtant,la majorité de ces versions s'est montrée beaucoup moins convaincante. Les gens populaires prenaient généralement Dukang comme le dieu de l'alcool, parce qu'ils croyaient que c'était lui qui a créé l'alcool. Cependant, pendant la dynastie des Shang, les Chinois ont déjà largement utilisé des céréales comme des matières premières de l'alcool. Selon les inscriptions antiques gravées sur des os d'animal ou des carapaces de tortue, le peuple des Shang a déjà commencé à prendre l'alcool comme des sacrifices aux ancêtres à cette époque-là où l'alcool était déjà très populaire. En plus, on a découvert des sites de vinification au cours des fouilles archéologiques. En 1980, l'alcool, qui a été découvert du tombeau des Shang dans la province du Henan, pourrait être considéré comme le plus ancien alcool existant en Chine, il est collectionné maintenant par le Musée du Palais de Pékin. La Chine avec le vaste territoire, les ressources abondantes, les agricultures variées, la qualité de l'eau et la technique de vinification différentes dans chaque région, a donné naissance à de nombreux types de boissons alcoolisées excellentes dans tout le pays.

Une invention très importante réalisée par les anciens Chinois a été l'utilisation de la levure au cours de leur fabrication de l'alcool. Les levures primitives ont été des céréales germées ou moisies, principalement du blé et du riz ; les gens les ont réformées et ont inventé la levure de l'alcool. La levure contient des bactéries qui saccharifient l'amidon et des saccharomycète qui facilitent la formation de l'alcool. Comme de différents types de levures sont adoptés dans de différentes régions, cela favorise la variété de l'alcool. Pendant la dynastie du Nord et du Sud (420-589), la technique de vinification a déjà atteint à un niveau élevé énormément. À cette époque-là, l'une des œuvres les plus importantes, Qimin Yaoshu, a enregistré une douzaine de façons de faire la levure de l'alcool.

Étant une méthode originale et naturelle, la fermentation de l'alcool est arrivée à sa maturité en Chine après des milliers d'années de développement. Son principe basal et sa technique sont encore en usage aujourd'hui. Comme la fabrication de l'alcool s'est appuyée principalement sur l'expérience, elle était limitée ainsi à petite échelle de production, et généralement effectuée à la main. Donc, les produits ont manqué des normes de tests scientifiques de manière exacte.

Les matières premières du vin de riz varient selon la région. Dans le Nord, ce sont le sorgho, le millet et le millet glutineux. Alors que dans le Sud, c'est le riz (riz gluant étant le meilleur choix). Le vin de riz dont la teneur en alcool est généralement d'environ 15 degrés deviendra de plus en plus savoureux au fil du temps et sa couleur n'est pas toujours jaune, certains d'entre eux sont noirs ou rouges. Lorsque la technique de filtrage du vin ne s'est pas bien développée à ce moment-là, apparaissent alors les troubles du vin. Les anciens ont nommé, ainsi, ce genre de vin « Vin blanc » ou « Vin trouble ».

À partir de la dynastie des Song, le centre culturel et économique de la Chine s'est déplacé vers le Sud, la production du vin de riz est entrée dans une période florissante dans certaines provinces du Sud. Sous la dynastie des Yuan, comme l'eau-de-vie a été popularisée dans le

Le Vin Jaune de Shaoxing est en train d'être transporté vers d'autres régions par des canaux (Photo prise par Xie Guanghui, fournie par la bibliothèque d'images de *Tourisme en Chine* de Hong Kong)

Nord, le chiffre d'affaires du vin de riz a beaucoup diminué ici. Mais, grâce à l'appréciation du vin de riz au Sud où les habitants consommaient beaucoup plus que ceux au Nord, le vin de riz a gardé sa place dans cette région. Sous la dynastie des Qing, le vin de riz fait à Shaoxing de la province du Zhejiang a dominé les marchés nationaux et même internationaux. Même aujourd'hui, l'homme qui boit souvent le vin de riz préfère encore le « Vin de riz Shaoxing ».

Dans de nombreuses régions de la Chine, il y avait des familles qui avaient l'habitude de faire de l'alcool elles-mêmes. Cela a démontré comment la méthode de vinification de l'alcool était populaire. Certains personnages croyaient que le vin exquis n'était pas issu de l'usine de l'alcool, mais des ateliers ruraux. Pour fabriquer l'eau-de-vie avec une teneur en alcool de 40 ou 50 degrés, il fallait mélanger le riz glutineux et la levure qui était faite avec le blé et l'orge, et puis les garder sous scellés pendant plus d'un mois ; pour fabriquer l'amazake à 10 degrés, il fallait mélanger le riz glutineux et la levure à base de riz, puis, les sceller pendant quelques jours. N'importe quel genre de l'alcool, au fur et à mesure que le temps passe, sa saveur sera de plus en plus moelleuse. Grâce à la facilité de sa fabrication et son coût faible, l'amazaké fermenté est beaucoup admiré et consommé par les gens du Sud. Depuis longtemps, il y avait beaucoup de gens qui croyaient l'effet médical de l'alcool, ils ont commencé à essayer de faire de l'alcool médicinal et le boire en vue d'améliorer le système circulatoire et de préserver la santé.

L'eau-de-vie traditionnelle chinoise la plus typique est l'alcool distillé. Du VIe au VIIIe siècles environ, l'alcool distillé a déjà été apparu en Chine. L'invention d'équipement primitif de distillation réalisée par nos ancêtres a été une autre grande contribution à la technique de vinification. De la fin du XIXe au début du XXe siècles, après que la microbiologie, la biochimie occidentales avaient été introduites en Chine, la technologie de la vinification traditionnelle chinoise a changé massivement et qualitativement. La production

De nombreux supermarchés fournissent des vins importés. (Photo prise par Lin Weijian, fournie par *Imaginechina*)

s'est beaucoup modernisée et l'échelle de production a été bien élargie.

La province du Guizhou et celle du Sichuan, situées toutes les deux au sud-ouest de la Chine, sont les deux grandes régions productrices où l'eau-de-vie en meilleure qualité a été créée. En raison des grandes différences des matériaux naturels en Chine, il est possible que toutes ses régions utilisent des matières premières différentes l'une des autres. Ainsi, presque toutes les provinces produisent leur propre alcool ayant des saveurs correspondant aux besoins des habitants locaux. Par conséquent, en plus de l'eau-de-vie Luzhou de la province du Sichuan, l'eau-de-vie Maotai de la province du Guizhou, l'eau-de-vie Fen de la province du Shanxi et l'eau-de-vie Xifeng du Shaanxi, il y a encore cinquantaine de marques qui sont connues aussi. La brasserie la plus ancienne en Chine a été construite en 1900 dans la ville de Harbin. Même si la brasserie n'a qu'une histoire moins de cent ans en Chine, la bière est déjà l'alcool le plus vendu en Chine.

Depuis l'Antiquité, l'alcool était lié étroitement à la vie quotidienne des gens. Ceux-ci utilisaient l'alcool pour rendre hommage aux ancêtres et faire preuve de respect, ou pour l'auto-jouissance tout en écrivant des poèmes et composant des rimes, ou pour servir des amis et animer l'atmosphère festival. L'alcool détient sans aucun doute une place inestimable dans la culture chinoise et la vie des Chinois. Les empereurs anciens et les seigneurs féodaux ont eu besoin de l'alcool au moment des banquets et des fêtes. Toutes sortes de vases à vin, par conséquent, sont devenues des objets rituels importants, parmi lesquels ceux qui étaient les plus importants ont été

La bière Tsingtao (Qingdao) est une marque de bière chinoise internationalement reconnue. La photo montre une publicité de la Bière Tsingtao du côté de la rue à Tongluowan (Gong Bay) à Hong Kong. (Photo prise par Xin Lei, fournie par *Imaginechina*)

Un magasin de bière dans la rue de la ville. (Photo prise par Ji Guoqiang, fournie par *Imaginechina*)

L'alcool distillé à partir du sorgho est assez commun.(Photo prise par Shi Baoxiu, fournie par la bibliothèque des images de *Tourisme en Chine* de Hong Kong)

le Jue en bronze, Zuni, Yi et d'autres contenants de boisson qui symbolisent tous la classe sociale. Parmi des objets découverts archéologiques aux quatre coins de la Chine, les contenants du vin en bronze ont été une fois à la mode. La levée de l'interdiction du vin au peuple a été attachée étroitement aux successions de la souveraineté, ainsi qu'aux activités impériales importantes.

Les Chinois ont utilisé souvent des céréales à faire de l'alcool dans les temps anciens. Par conséquent, une bonne récolte ou une mauvaise ont fortement influencé les décisions des gouvernants: imposer ou lever l'interdiction du vin ; l'impôt lourd ou léger du vin. En un mot, la prospérité et la décadence de l'industrie de production de l'alcool ont reflété évidemment la bonne récolte agricole ou la mauvaise. L'alcool était lié directement à la vie du peuple et à la fiscalité. Depuis la troisième année sous le règne de l'empereur Han Wudi (98 av.J.-C.), après que la cour centrale a eu exercé le droit exclusif de vendre et d'acheter du vin, les droits perçus au vin sont devenus des recettes publiques principales de la cour impériale.

Le vin et la plupart des hommes de lettres chinois ont toujours un lien intime. À l'époque médiévale, il y avait de nombreux comptes rendus des personnages importants pendant les périodes de Wei et de Jin (220-420) et des poètes de la dynastie des Tang qui étaient les amateurs de vin. Ce sont les deux périodes très importantes de liaison entre « le vin et la culture de la Chine ». En réalité, la connexion entre les hommes de lettres et le vin n'a pas commencé à partir des périodes de Wei et de Jin. Toutefois, il est encore rare de trouver les buveurs tels que les hommes «*Sept Sages de la forêt de Bambous*», qui buvaient à leur soif sans raison particulière et dont la vie était principalement occupée par le vin. Ces hommes dans les périodes de Wei et de Jin, vivant dans la société agitée, ils noyaient leur chagrin dans l'alcool, ivres pour échapper au malheur. Parfois, ils ont exprimé des objections contre le gouvernement sous l'influence de l'alcool. Ces actes reflètent de l'impuissance de la classe des hommes de lettres au cours des années agitées. Dès lors, l'alcoolisme n'est plus considéré comme les actes dépravateurs et hideux, plutôt admirables et romantiques. Il semble que tous les poètes de la dynastie des Tang aimaient boire hardiment. Les célèbres poètes tels que Li Bai et Du Fu sont tous les hommes de la liqueur connus dans toute la Chine et à l'étranger. il n'est pas difficile de trouver les indices de vin dans leurs poèmes tandis que les alcools leur donnent des inspirations sur les poésies. Les formes d'arts traditionnels chinois telles que poésie, musique, peinture, calligraphie et d'autres sont toutes expressives et lyriques. Le vin peut aider l'artiste à retrouver l'état naturel et originaire de l'homme et à allumer leur créativité. Alors, les gens des générations suivantes imaginent une connexion romantique entre le vin, la poésie et les lettrés.

Les chinois attachent de l'importance à « l'humeur de boire » qui est nécessaire comme la raison de boire à sa soif, et boire du vin est ainsi comme un plaisir réel de la vie. « Un millier de coupes de vin, c'est encore trop peu lorsqu'on boit avec un ami de cœur», ce dicton qui incarne convenablement l'accent mis par les Chinois sur l'harmonie des relations entre les gens, et la volonté de partager les moments de joie avec les autres. Les alcools peuvent enrichir les affections des Chinois. Jouer à la mourre, composer chic la musique et la poésie ou même danser, sont tous des jeux amusants qui ajoutent la gaieté pendant les banquets. Ils sont aussi les façons les plus spéciales dans les coutumes de la consommation de vin des Chinois. Les deux parties à boire en jouant à la mourre, parfois, sont comme deux armées opposées, agitant leurs bras et avançant leurs poings, en hurlant les paroles de jeu. Le jeu est un match d'intelligence, de courage et de capacité de boire, et il est vraiment amusant. Boire de l'alcool ensemble en jouant à la mourre lors de l'agape est devenu un passe-temps spécial et préféré des Chinois. Son objectif est de se communiquer et de renforcer l'amitié et l'amour familial. Donc, un banquet pourrait durer pendant un temps assez long, d'un couple d'heures à toute la nuit.

Les Chinois accueillants s'expriment dans toute la mesure à un banquet avec des boissons d'alcool. La communication d'affection est le plus souvent manifestée au moment de proposer un toast. Dans beaucoup d'endroits on accueillie et traite les invités avec du vin. Lorsque de vieux amis se rencontrent et quand des amis se réunissent, quelques tasses de vin peuvent être plus agréables car le vin produit une atmosphère chaleureuse et harmonieuse. « Vider le verre » est une coutume largement pratiquée dans le Sud et le Nord de la Chine. Quand un banquet commence, l'hôte livre habituellement quelques mots de bienvenue, ensuite c'est le premier toast. L'hôte vide d'abord sa tasse d'un seul trait, c'est ce que nous appelons «vider le verre premièrement en montant le respect pour les invités ». Parfois, l'hôte devra également proposer des toasts aux invités individuellement dans l'ordre d'importance. Ceux qui ne retournent pas la faveur seraient considérés comme irrespectueux et devraient souvent être punis par boire du vin. Par conséquent, les invités doivent retourner le toast à l'hôte. Les invités peuvent également se proposer des toasts eux-mêmes. En outre, il convient de ne pas être tardif lors d'un banquet, sinon l'hôte et les autres invités proposeront tous le toast comme la punition. Avant de proposer un toast, l'initiateur et l'intéressé doivent tous se lever. La plupart des toasts sont limités à trois tasses. Plus les invités boivent, plus heureux l'hôte sera. Une chose très intéressante c'est que l'initiateur de toast espérait les autres boire plus que lui. Surtout pour certaines nationalités minoritaires très accueillantes, boire sans retenue est nécessaire auprès un invité. Par exemple, pour la nationalité mongole, l'hôte tient souvent des bols de vin dans les deux mains tout en chantant la chanson de toast, et continue à remplir les coupes des visiteurs jusqu'à ce qu'ils soient complètement ivres. Les ethnies miao, dai, yi du sud-ouest de la Chine pratiquent une méthode d'« aspiration » lorsque l'on boit de l'alcool. Avec l'aide

Une rue des bars au bord de la rivière des Perles à Guangzhou. (Photo prise par Zhang Guosheng, fournie par *Imaginechina*)

d'une longue tige de roseau ou des cannes de bambou, on suce de l'alcool dans des jarres ou de grands pots. Il est généralement fait dans l'ordre des personnes âgées aux jeunes. L'alcool a une autre titulaire fonction intelligente pour les nationalités minoritaires dans les plus anciennes traditions. En devenant frères et sœurs jurés, ou alliance avec du sang comme serment, avec le poulet ou le mouton abattu, parfois des preneurs des serments doivent entamer leurs bras pour laisser le sang couler goutte à goutte dans des bols de l'alcool. Les nationalités minoritaires considèrent l'acte de boire ce genre de l'alcool de sang comme pacte d'alliance sacré.

Ceux qui peuvent encore garder leurs têtes froides et agir comme homme vertueux sous l'influence de l'alcool, seraient profondément respectés. La pensée confucéenne souligne les «vertus sur l'alcool» qui signifie que les buveurs doivent se conduire vertueusement. Les confucianistes ne s'opposent pas à la consommation de l'alcool; utiliser de l'alcool pour rendre hommage aux ancêtres et offrir de l'alcool aux personnes âgées ou aux invités pour montrer le respect sont tous considérés comme conduites vertueuses. Mais en temps ordinaire, il faut limiter la consommation d'alcool pour économiser les céréales. L'abus des alcools et d'être trop ivre pour mener la vraie vie ne sont pas des attitudes préconisées par les confucianistes, qui respectent strictement la règle de « l'alcool vise à montrer le respect, à traiter les maladies, et à apporter de la joie ». Lors des occasions spéciales, l'alcool est indispensable. Toutefois, il est considéré comme un élément de luxe, car, sans lui, la vie quotidienne ne changera pas. Une croyance populaire que « l'abus de l'alcool peut perturber la nature et la compétence de se contrôler ». Puisque l'alcool mène à la toxicomanie, de grandes quantités de la consommation peuvent provoquer l'ivresse, qui excite souvent les troubles ou apporter du danger pour la santé. Les gens donc le considèrent comme la source de désordre. Du temps ancien à nos jours, il n'y a jamais eu une pénurie de personnes qui préconisent de boire vertueusement, qui donnent l'éducation sur l'alcool et qui déconseillent la consommation excessive de l'alcool. Dans la société moderne, certains organismes gouvernementaux ont clairement imposé des restrictions contre leurs fonctionnaires de boire pendant les heures de déjeuner des journées de travail. Pour certaines professions spécialisées, il existe des restrictions encore plus précises sur l'alcool. Les conducteurs qui prennent la route après avoir bu seront poursuivis par la loi.

Les étiquettes et les coutumes chinoises de l'alcool sont nées presque en même temps que le vin a été inventé. Certaines coutumes ont été conservées jusqu'à aujourd'hui. « L'alcool de mariage » est le synonyme de mariage. Préparer l'alcool de mariage a le même sens que la préparation pour les mariages. « Boire l'alcool de mariage » signifie d'aller assister à un mariage. Lors d'un banquet de mariage, les mariés doivent proposer des toasts aux parents et aux invités. Les nouveaux mariés doivent aussi boire « l'alcool aux bras-croisés » qui implique une centaine d'années de mariage heureux. Le troisième jour après le mariage, la mariée doit ramener le marié pour retourner à la maison de ses parents. La famille de la mariée sera l'hôte d'un banquet pour accueillir les invités, ce qui est appelé « l'alcool de retour ». Pour un nouveau-né, « l'alcool de l'âge d'un mois » ou « l'alcool de centième jour » sont des banquets populaires organisés pour la célébration selon les traditions chinoises. Quand le bébé est âgé d'un mois et cent jours, les parents de l'enfant tiendront un banquet pour traiter toute la famille et de bons amis. La plupart des invités apportent des cadeaux ou mettent de l'argent dans une petite enveloppe en papier rouge appelée « le sac rouge », pour l'enfant de la famille. Boire « l'alcool de longévité » est une fête d'anniversaire préparée pour les personnes âgées dans la famille. Les anniversaires de soixante ans, soixante-dix ans, quatre-vingts ans, quatre-vingt-dix ans ou même d'une centaine d'années d'une personne peuvent être appelés « da shou » (la grande longévité). La plupart du temps, le banquet est préparé par les fils ou les filles, ou les petits-enfants; les participants comprennent les membres de la famille et les chers amis.

Lors des plus importantes fêtes d'une année, les Chinois les célèbrent par les activités de boire de l'alcool. La veille du Nouveau An chinois, les gens boivent «de l'alcool du Nouvel An» en souhaitant une bonne santé de la famille pendant la nouvelle année. Le cinquième jour du cinquième mois du calendrier lunaire, la Fête des Bateaux-Dragons, les gens boivent « de l'alcool de Changpu » (l'alcool de calamus, une plante aquatique dont les huiles parfumées peuvent être extraites. L'alcool de Changpu composé du jus de calamus comme aromatisant qui est mélangé directement avec l'alcool de sorgho dont la levure est à base d'orge et de pois par l'immersion et le trempage) pour chasser les mauvais esprits et apporter la paix et la sécurité. Pour la Fête de la Mi-Automne (le quinzième jour du mois d'août du calendrier lunaire), la réunion des familles ou les rendez-vous avec des chers amis auraient lieu, boire tout en admirant la pleine lune fait partie de la soirée. C'est aussi le moment où les fleurs d'osmanthus odorantes sont en pleine floraison. Alors l'alcool d'osmanthus est aussi une partie de la tradition de la Fête de Mi-automne. La Fête de Double Neuf, le neuvième jour du neuvième mois du calendrier lunaire, il y a la coutume de monter haut et d'apprécier l'alcool. De nombreuses régions préfèrent boire « l'alcool de chrysanthème » ce jour-là.

Les Occidentaux font attention à prendre différents types d'alcool aux occasions différentes. L'alcool est parfois le symbole du goût et du statut social aux Occidentaux. Toutefois, cela ne convient pas pour la Chine. Même si les alcools chinois ont les différentes qualités de toutes les classes, les Chinois sélectionnent les boissons alcoolisées par la préférence personnelle sur le parfum et le goût, et rarement considèrent l'année de la production, la couleur ou le lieu de production comme base de jugement.

Les boissons alcoolisées ont non seulement fusionné avec la vie quotidienne des Chinois, les gens même l'utilisent pour communiquer des sentiments et des pensées différents. On peut dire que l'alcool fond les réflexions de la vie avec les émotions des êtres humains. Les sentiments, que ce soit la tristesse et la douleur, ou la merveille joie, sont réservés seulement dans l'expérience du buveur.

La culture des alcools chinoise possède une longue histoire. Les alcools ont influencé la façon de vivre des Chinois, et façonné la personnalité des Chinois. En particulier dans les dernières décennies, l'évolution de l'économie chinoise s'est accélérée, et les modes de vie ont plus de pluralités. Les techniques traditionnelles de vinification et les habitudes de consommation gagnent encore les faveurs du public, mais les différents types de boissons alcoolisées en provenance des pays étrangers gagnent également la popularité. Quand des amis et les membres de la famille se réunissent pour apprécier un bon verre, on a plus de choix des boissons alcoolisées. Cela rend la consommation des alcools plus agréable et enrichit la culture de consommation des alcools de la Chine. La culture des bars florissant à travers le pays ces dernières années représente la préférence des dépenses des générations jeunes. Beaucoup d'étrangers sont impressionnés par l'université des bars juste à mettre le pied dans les grandes villes de la Chine. L'internationalisation des styles de bars reflète aussi le style de vie insouciante et ouverte des Chinois.

Les Nouvelles Tendances des Restaurants

Actuellement, la restauration chinoise fait face aux défis des changements du temps et de la nouvelle mode de vie.

Dans les années 50 et 60 du siècle dernier, toutes les industries, y compris l'industrie de la restauration ont adopté la politique de la propriété jointe et du management par l'Etat et les entités privées. Les restaurants qui, autrefois, avaient gardé des secrets sur les techniques de la cuisine les uns aux autres commençaient à se communiquer et s'améliorer. Des plats traditionnels qui avaient presque disparus ont été retrouvés, un nouvel âge de la culture des alimentations est ainsi apparu. Néanmoins, comme l'attitude de la frugalité dans la vie était bien populaire à cette époque-là, ceux qui faisaient attention aux alimentations étaient considérés comme des idées de corruption et de régression, l'envie de manger dans les restaurants était contrainte, le développement des techniques de la cuisine était limité. La plupart des restaurants gérés par l'Etat

Les travailleurs mangent dans les cafétérias dans les années 1950. (Photo prise en 1958, fournie par le département des photos de l'Agence de Presse Xinhua)

suivaient la tradition de servir des plats authentiques dont les choix étaient limités et les prix élevés. Pourtant, les services dans les restaurants de l'Etat étaient souvent insatisfaisants.

Le 30 décembre 1980, le premier restaurant privé depuis la réforme et l'ouverture a été ouvert à Pékin–le Restaurant Yuebin. A cette époque-là, tous les autres restaurants étaient gérés par l'Etat, les céréales, l'huile, les fromages de soja demandaient des certificats des alimentations distribués par l'Etat, c'est pourquoi le nouveau restaurant privé a attiré tant d'attention dans le monde entier. Même aujourd'hui, le patron se rappelle des détails du jour où ce restaurant a été ouvert. Il a acheté quatre canards avec 36 yuans, et a fait quelques plats de canard, pendant seulement quelques jours, il y avait les ambassadeurs de 72 pays et 42 journalistes qui ont mangé dans le restaurant.

Comme la condition de vie s'améliorait, le peuple voulait manger dans des restaurants pour un changement de goût et prendre des plats qu'on ne sait pas comment faire ou n'a pas d'outils pour les faire à la maison. Des restaurants de goûts différents, de gammes différentes sont apparus, l'industrie de la restauration devenait un point clé pour les investissements en Chine. Les investisseurs et les directeurs rendaient visite aux chefs de la génération précédente ou aux gastronomes pour apprendre les recettes des plats traditionnels. Les restaurants de raviolis ou de nouilles commençaient à enrichir leurs menus et servir d'autres plats. Les hôtesses charmantes qui portaient des uniformes ou des qipao, des chapeaux élégants, et un ruban devant la poitrine avec le nom du restaurant dessus, accueillaient chaleureusement les clients. Comme les restaurants privés faisaient beaucoup d'attention à la qualité des services et que les serveurs étaient bien polis, il y avait toujours beaucoup de clients, alors que les restaurants de l'Etat perdaient de plus en plus de clients, car les plats y étaient monotones, et les services insatisfaisants. En un rien de temps, des mets exquis qui avaient disparus pendant un certain temps sont revenus. Certains restaurants dans le Nord de la Chine

Au cours de la période d'économie planifiée en Chine, le gouvernement a publié le «ticket d'alimentation » à partir de 1955, afin de garantir la fourniture de denrées alimentaires pour les citoyens dans les villes. Avec le développement économique de la Chine, les prix des céréales et des huiles ne sont plus strictement contrôlés. Dans les années 1990, le ticket d'alimentation, qui existait à l'époque que le nom, a été complètement aboli.

qui servaient des plats traditionnels commençaient à utiliser de nouveau leurs vieux noms. A Shanghai, des restaurants utilisent le mot authentique pour attirer les clients.

Avant les années 90 du XXe siècle, les gens ne faisaient attention qu'aux plats quand ils mangeaient dehors. Même pour les éventaires au bord de la rue, les gens faisaient la queue pour y manger tant que les prix étaient justes avec une grande portion. Mais au fur et à mesure que l'économie de la Chine se développe rapidement, les demandes des consommateurs s'élèvent, manger à sa faim n'est plus le seul but des consommateurs. La majorité des consommateurs, lorsqu'ils mangent dans les restaurants, demandent non seulement des plats délicieux, mais aussi un environnement propre, élégant et des services excellents.

Les fricots bons et pas chers partent de la maison pour le marché, sur les tables des restaurants. Par rapport aux mets exquis rares des restaurants haut de gamme, les fricots n'ont pas de caractère spécial sur le goût, pourtant, beaucoup de restaurants les exaltent pour attirer les clients parce qu'ils sont bons et pas chers, mais le plus important est que les fricots sont familiers, c'est confortable de manger dans un restaurant juste comme manger chez soi. Au début, les restaurants qui servaient les fricots n'étaient pas grands, et on n'avait pas beaucoup de choix pour les plats, il n'y avait que les plats bien connus tels que *Dés de poulet aux arachides et aux piments, Emincés de porc à la sauce piquante, Salade des fruits*, etc. Ces dernières années, l'alimentation ordinaire du peuple a connu des changements évidents, on fête l'anniversaire, organise les réunions, les banquets aux lieux publics, les repas légers, les fricots et les fast-foods chinois sont très à la mode. La prospérité des fricots a non seulement changé l'habitude alimentaire du peuple, mais aussi a apporté de nouveaux dynamismes au marché de restauration bien compétitive. Toutes sortes d'enseignes avec le mot fricot en différents caractères apparaissent dans les rues, dont l'envergure s'étend de plus en plus. Apparaissent des restaurants connus de fricots tels que Meizhoudongpo, Guolinjiachangcai. Les fricots qui étaient seulement les plats qu'on mangeait à la maison deviennent ainsi les plats du restaurant, les plats commerciaux.

Avec le développement des fricots, il apparaît des changements et des différences sur le contenu et la façon de la gestion du restaurant. Par exemple, dans certains restaurants de fricots apparaissent des plats comme le canard laqué dont le prix est bien élevé. Ces plats sont beaucoup plus compliqués par rapport aux fricots sur les matériels, les recettes, mais comme ils sont servis par les restaurants de fricots, donc, les prix sont bien moins élevés par rapport aux restaurants haut de gamme, ce qui les fait bien aimés du peuple.

Pour satisfaire tous les clients, dans les grandes villes telles que Beijing, Shanghai, Guangzhou, Shenzhen, apparaissent de plus en plus de restaurants qui servent des plats régionaux. La mode d'alimentation connaît des changements importants tous les un ou

Le fast-food à la chinoise. (Photo prise par Roy Dang, fournie par *Imaginechina*)

deux ans, au début, c'était les plats du Guangdong qui étaient populaires dans le pays entier, puis le *Poisson avec des pickles* au style du Sichuan, les Chiches-kebabs du Xinjiang, le *Ragoût du style Mao* de la cuisine Xiang (Hunan), le *Mouton cuit à l'étouffée* du Henan, la fondue piquante de Chongqing, les raviolis du Nord-Est de la Chine, les plats locaux de Shanghai, les plats de Hangzhou, le *Poisson cuit à l'huile chaude, les crabes piquants* de la cuisine de Sichuan, les plats du Yunan, les plats du Guizhou, les plats du Taiwan, etc. Les changements dans les goûts populaires sont comme les vêtements sur les scènes, attirants et changent sans arrêt. Pendant ces deux dernières années, dans les villes comme Beijing, Shanghai, Taibei sont ouverts des restaurants du style familial avec les enseignes de Plats familiaux personnels. Ce genre de restaurants attire les clients avec les plats et les desserts originaux, offrant une ambiance toute personnelle et un environnement élégant. La plupart de ces restaurants ne sont pas grands, certains même exercent la politique de clients membres, ils sont aimés des gens riches des villes. Le self-service ayant des caractères des bouffets occidentaux offre la liberté aux Chinois de décider personnellement les aliments. Par rapport à la façon de manger dans les restaurants chinois, c'est-à-dire choisir les plats selon le menu, le plus grand avantage du self-service est que les gens des goûts différents peuvent manger ensemble, prendre ce dont on a envie, partager la joie de la communication.

Pour les étrangers qui viennent d'arriver en Chine, à part l'envie de déguster les plats chinois délicieux, ils veulent encore connaître la culture chinoise dans les restaurants traditionnels considérés comme les Vieilles Maisons. Par exemple, les restaurants de

Le fast-food à la chinoise. (Photo prise par Roy Dang, fournie par *Imaginechina*)

Beijing tels que Quanjude, Bianyifang, Donglaishun, Fengzeyuan, Fangshan, Liuquanju, Shaguoju, Kaorouji, Kaorouwan, Gongdelin, ceux de Shanghai comme Le Vieux Restaurant de Shanghai, le restaurant Laozhengxing, Meilongzhen, ceux de Tianjin comme le Restaurant Goubuli, le Restaurant Hongqishun, le Restaurant Tianyifang, possèdent tous une histoire de quelques dizaines d'années ou même plus de cent ans, dans la compétition intense de cette industrie, ils conservent certains avantages, ils attirent les clients non seulement par les plats particuliers, mais aussi par leurs significations historiques et culturelles.

Le plus fameux restaurant portant le vieux nom de Beijing–le Restaurant de Canards laqués Quanjude, est un modèle. En fait, le plus vieux restaurant de canards laqués est le Restaurant Bianyifang, le restaurant Quanjude a été ouvert un peu plus tard, mais le dernier a dépassé ensuite le premier sur les affaires. Surtout aux yeux des étrangers, le nom Quanjude est le plus fameux, on aime manger le canard laqué du Quanjude pour connaître sa longue histoire de plus de cent ans. Tout en conservant la spécialité des canards laqués suspendus, Quanjude crée le repas particulier dans lequel tout est fait avec des canards. L'envergure du Restaurant Quanjude s'élargit de plus en plus, il a ouvert plus de cent restaurants de branche dans le pays entier et est devenu le premier restaurant des Vieilles Maisons à inscrire à la cote par l'action A en Chine.

Le Restaurant Donglaishun, situé dans la Rue Wangfujing, l'endroit le plus animé de Beijing, était au début un tout petit éventaire de bouillies de l'ethnie hui, puis un restaurant de *mouton à la marmite*, maintenant, il est un des plus connus vieux noms de ce domaine. A part le véritable *mouton à la marmite* de Beijing, il sert aussi plus de deux cents plats de l'ethnie hui, par exemple, *la trémelle au poulet, la jambe de mouton grillée, la fressure à la soupe blanche, le mouton mangé à la main, la queue de mouton frite*, les desserts comme gâteau frit au beurre, la marmelade de noix sont

Un restaurant qui sert une authentique cuisine française et les sucreries de l'Occidental. (Photo prise par Liu Shenghui, fournie par *Imaginechina*)

aussi délicieux. Manger dans Donglaishun toutes sortes de plats de l'ethnie hui et le *mouton à la marmite*, on obtiendrait un certain sens de contentement.

Par rapport aux restaurants des fricots, aux restaurants des plats régionaux, aux ceux des vieux noms, les restaurants de fast-food chinois qui suivent le modèle de la gestion des fast-foods étranger ont seulement une histoire d'une dizaine d'années, mais sont ouverts dans presque toutes les villes chinoises. Tel genre de restaurants sont ouverts avec un nouveau modèle de gestion, le temps d'ouverture est plus long, les plats conservent les spécialités traditionnelles, d'ailleurs, on peut y manger à n'importe quelle heure, les prix sont bas, les plats sont variés, les goûts sont nombreux, l'environnement est propre, ce sont tous des raisons pour lesquelles ces restaurants se développent rapidement. Avec l'ouverture des restaurants de fast-food occidental comme McDonald's, KFC, PizzaHut en Chine, le coca cola, le hamburger, la pizza sont acceptés par de plus en plus de Chinois, bien que leurs prix soient élevés, ces restaurant se développent bien en Chine.

En réalité, le véritable repas occidental est apparu en Chine beaucoup plus tôt, à peu près 700 ans avant, lorsqu'un Italien, Marco Polo est venu en Chine, il a présenté les recettes de certains plats occidentaux, mais ils ne se sont présentés que dans les banquets familiaux des étrangers qui vivaient en Chine. Dans le palais royal, on a fait quelquefois des plats occidentaux, mais l'industrie de la restauration occidentale comme une partie de la restauration chinoise n'était pas encore formée. Après la deuxième moitié du XIXe siècle, avec l'envahissement des puissances occidentales, de plus en plus d'étrangers venaient vivre en Chine, les techniques de la cuisine occidentale étaient maîtrisées par les Chinois embauchés par les étrangers, ce n'était plus difficile pour les Chinois de faire ou manger des plats occidentaux. La cuisine occidentale devient graduellement une partie de la restauration chinoise.

Avec l'application de la réforme et l'ouverture, dans ces

dernières vingt années, il apparaît de plus en plus de restaurants qui servent les plats des différents pays, certains sont ouverts dans les quartiers où travaillent ou habitent les étrangers. Certaines villes touristiques ont même créé la rue de restaurants spéciaux qui offrent des plats étrangers. Beaucoup d'aliments étrangers offerts par les restaurants chinois peuvent former leur propre système des affaires, avec leur unique interprétation chinoise pour les régions, les cultures, les coutumes différentes des pays étrangers, cela enrichit la vie ordinaire des Chinois, stimule la prospérité de la restauration chinoise. Les gens des pays différents connaissent le respect et la tolérance mutuels dans les nourritures.

< Les restaurants traditionnels. (Photo prise par Gao Feng, fournie par *Imaginechina)*

Annexe :
Chronologie de l'histoire de Chine

Paléolithique	Environ 1,7 million d'années-8000 av. J.-C.
Néolithique	Vers 8000-2000 av. J.-C.
Xia	2070-1600 av. J.-C.
Shang	1600-1046 av. J.-C.
Zhou de l'Ouest	1046-771 av. J.-C.
Printemps et Automnes	770-476 av. J.-C.
Royaumes combattants	475-221 av. J.-C.
Qin	221-206 av. J.-C.
Han de l'Ouest	206 av. J.-C.-25 apr. J.-C.
Han de l'Est	25-220
Trois Royaumes	220-280
Jin de l'Ouest	265-317
Jin de l'Est	317-420
Dynasties du Nord et du Sud	420-589
Sui	581-618
Tang	618-907
Cinq Dynasties	907-960
Song du Nord	960-1127
Song du Sud	1127-1279
Yuan	1206-1368
Ming	1368-1644
Qing	1616-1911
République de Chine	1912-1949
République populaire de Chine	Fondée en 1949